A tradutora

CRISTOVÃO TEZZA

A tradutora

1ª edição

EDITORA RECORD
RIO DE JANEIRO • SÃO PAULO
2016

CIP-Brasil. Catalogação na publicação
Sindicato Nacional dos Editores de Livros, RJ

T339t   Tezza, Cristovão
         A tradutora / Cristovão Tezza. – 1. ed. – Rio de
         Janeiro: Record, 2016.

         ISBN 978-85-01-07888-9

         1. Romance brasileiro. I. Título.

                                  CDD 869.3
16-34126   CDU 821.134.3(81)-3

Copyright © Cristovão Tezza, 2016

Todos os direitos reservados. Proibida a reprodução, armazenamento ou transmissão de partes deste livro, através de quaisquer meios, sem prévia autorização por escrito.

Texto revisado segundo o novo Acordo Ortográfico da Língua Portuguesa.

Direitos exclusivos desta edição reservados pela
EDITORA RECORD LTDA.
Rua Argentina, 171 – Rio de Janeiro, RJ – 20921-380 – Tel.: (21) 2585-2000

Impresso no Brasil

ISBN 978-85-01-07888-9

Seja um leitor preferencial Record.
Cadastre-se e receba informações sobre nossos lançamentos e nossas promoções.

Atendimento e venda direta ao leitor:
mdireto@record.com.br ou (21) 2585-2002.

EDITORA AFILIADA

If any one faculty of our nature may be called more
wonderful than the rest, I do think it is memory. There seems
something more speakingly incomprehensible in the powers,
the failures, the inequalities of memory, than in any other of
our intelligences. The memory is sometimes so retentive, so
serviceable, so obedient — at others, so bewildered and so
weak — and at others again, so tyrannic, so beyond control!

[*Se há uma faculdade de nossa natureza que pode ser*
considerada mais *admirável que as demais, de fato penso*
que é a memória. Parece haver algo de mais eloquentemente
incompreensível nos poderes, nas falhas, nos desníveis da
memória, do que há em qualquer outra de nossas
capacidades intelectuais. A memória é às vezes tão retentiva,
tão durável, tão obediente — noutras tão desconcertada e
tão frágil — e noutras ainda tão tirânica, tão indomável!
Tradução de Christian Scwhartz]

Jane Austen, *Mansfield Park*

1

Beatriz voltou à mesa com a toalha úmida erguendo uma torre torcida na cabeça — estou atrasada — e retomou imediatamente a tradução, *um pensamento filosófico que, herdeiro novato dos estruturalismos franceses e bisneto da escola de Frankfurt, faz do pessimismo uma ontologia; a sombra da conspiração universal,* esse desespero por não perder tempo, Beatriz lembrou, esperando o pão aquecer no forno, a vida é curta e a vida é sonho, *afinal um resíduo da Idade Média que sobrevive como explicação do mundo visível, aqui* — nas *mãos de Foucou Foucault, Bur Bourdieu* — sempre erro estupidamente a digitação desses nomes, letras disléxicas, será sintoma de — *e satélites* — *transformou-se em metafísica, um jogo de armar de solução impossível, um* cul-de-sac [beco sem saída??] *ressentido cujo único objetivo é fortalecer o poder do bruxo contemporâneo, o sábio transcendente de dedo em riste, não a elucidação do real. O irracionalismo amoral triunfante, refugiado em suas instâncias de prestígio, num retorno espetacular ao* — a frase está muito longa, é preciso um ponto aí, releu Beatriz, e conferiu o original, o espanhol barroco, florido e retumbante do catalão Felip T. Xaveste, é assim mesmo, frases intermináveis, um *catalão brilhante,* como lhe disse Chaves, o editor paulista, ao telefone e depois ao vivo, no restaurante da Figueira (na verdade, Beatriz conferiu na wikipedia, um falso paulista, nascido em Minas Gerais, mas com sotaque paulistano, o que significa que ele foi para lá novinho): preciso desta tradução para o mês que vem, antes da Copa do Mundo, quando então ninguém vai ler nem bula de remédio e vamos ter de aguentar quarenta dias não deste Felip catalão, mas do grande filósofo brasileiro Felipão, e ele deu uma risada de todos os dentes, *Você viu a risada desse filho da puta?*, Donetti advertira no último encontro em Curitiba, para onde ele veio correndo em seguida à viagem dela a São Paulo; depois de três dias tensos em Curitiba, como sempre acontecia nos últimos tempos, Beatriz levou-o de volta ao aeroporto quase que à força, *eu preciso trabalhar!* Mas você ouviu o que ele disse do meu novo livro, *É muito bom, mas não vende, e a editora está perigosamente se aproximando do vermelho, o povo só está lendo facebook.* Eu não confio nele, Donetti acrescentou — odeio editores em geral, sempre me fodem, e riu de si mesmo, o velho truque autocomplacente. *Só que eu estou ficando uma pessoa má,* ela diria à Bernadete. *Impaciente.* Beatriz, você viu a cara que o Chaves fez quando eu cheguei no restaurante? Aquele ar de surpresa meio enojada, tipo *caí numa armadilha,* eu acho que ele queria contratar a tradutora num pacote completo e agora chega esse namorado bundão, um escritor pentelho em fim de carreira, foi isso que ele deve ter pensado. Fiquei de vela ali, balançando a cabeça feito um tatu enquanto vocês falavam um olhando para o outro com brilho nos olhos. O jeito como ele inclinava a cabeça para a frente, a boca aberta e o queixo babado quase tocando o bife que sangrava no prato. Quando você vai crescer, Paulo Donetti? Que besteira é essa? Ele sabe que namoramos, chegou até mim por você, você mesmo sugeriu meu nome, aqui em São Paulo fico na sua casa, de onde você tirou esse... essa... você ficou maluco?!

— O que você acha? — perguntava o editor. — O Brasil ganha a Copa? — e logo voltava à proposta de tradução, acenando com muito mais trabalho pela frente, *o Donetti me disse que você é uma fera*, e Beatriz (que quase encaixou com um sorriso *talvez ele tenha dito noutro sentido*, mas era melhor não brincar) aceitou imediatamente a tarefa, o preço da lauda era surpreendentemente bom para uma tradutora novata, 32 reais, um autor de impacto para pôr no currículo, e o selo da editora impunha respeito. Depois, aquele ciúme esquisito surgindo do nada, disfarçado em consciência política, *Esse cara é de direita, Beatriz, você vai cair em desgraça na Universidade, ninguém lê Xaveste no Brasil*, e ela não entendeu, você ficou maluco?! Por que indicou meu nome? Além de tudo, durante a Copa não se trabalha e eu ainda não sou funcionária pública, destino de todo letrado brasileiro — tenho de camelar, mas agora os dias se atropelavam e o texto — *a escola de Frankfurt que, mesmo depois do terror de uma Europa esmagada pela devastadora erupção nazista, foi incapaz de desembarcar do próprio neoiluminismo jacobino ao vituperar, assim que, resgatada pelo odiado capitalismo, pisou o novo mundo, contra o jazz, a liberdade, o dinheiro, a vulgarização americana, a força transformadora do comércio, todos aristocratas saudosos [nostálgicos??] do inferno da melancolia, da flanagem bordel baudelariana de um marquês pessimista cuja única responsabilidade é o meu próprio desejo* — Cabe esse *meu* aqui? Voltou duas folhas no livro. A revisão vai me dar mais trabalho do que a tradução, e Beatriz suspirou, um cansaço por antecipação já de manhãzinha, e conferiu quanto faltava ainda, mais oitenta páginas de letra miúda, o livro de lombada dura, duro de manter a página aberta, eu deveria ter tirado xerox, como o

Paulo sugeriu, já que não existe um pdf original à disposição. Deixe de ser mesquinha, ele disse. Ele vive me corrigindo, ela pensou em contar para alguém, em um *tribunal de acusação*, e Beatriz olhou o teto, achando graça, fazer um bom relatório daquela relação doentia que eles levavam, ele sempre me achando defeito, curitibana pão-dura, ele brincou, e eu também, isso não se enquadra em alguma lei de injúria e difamação, por que eu ainda atendo telefone?! A minha vida anda estéril, uma máquina de dar aulas particulares, produzir e revisar textos e sonhar com o dia em que a sombra de Paulo Donetti —

— O pão!

Correu para a cozinha e abriu a porta do forno — o pão de ontem agora estava uma torrada. Tudo bem, com uma manteiguinha, não está tão feio — e quase queimou os dedos tirando a travessa do forno. No momento em que corria para cá, ficou vagamente na cabeça a imagem de um envelope avançando sob a porta da sala, ouviu um ruído a raspar os tacos do chão, certamente o zelador distribuindo correspondência — as contas de sempre. Mas tão cedo? Olhou para o relógio na parede da cozinha, marcando imóvel quatro e doze da madrugada, essas merdas *made in China*, não adianta trocar a pilha. Apertou o botão da cafeteira e esperou a xícara encher. Sentou-se à mesinha, sobre a qual o micro-ondas dava enfim a hora mais ou menos certa: 07h12. Gostou daquele fiapo de sol cortando o azulejo branco, e imaginou um desenho animado, a geometria fulgurante de um raio de luz percorrendo um caminho sideral, um fio luminoso cortando o nada durante um milhão de anos e rebatendo neste exato momento nas janelas de Curitiba até se acomodar ali, incerto diante dela, um breve sopro — e apagou-se.

O banho cedinho sempre me faz bem, tenho de voltar à academia, mas o preço — e talvez por isso jamais se adaptasse mesmo a Paulo Donetti, aquela preguiça depressiva, aquele resmungo metafísico; como talvez dissesse Felip Xaveste, *hay una conspiración filosófica y su objectivo es paralisar la libertad de pensamiento como si fuera perpétua expresión de control, subyugación y represión,* como é bonito o espanhol, *como si fuera perpétua,* Donetti até as onze na modorra da cama, o decadente marquês mulato flanando pelo mundo, ainda que isso eventualmente tenha suas vantagens, como eu disse à Bernadete, não o marquês, mas a manhã na cama — e Beatriz sentiu um fio incômodo de saudade do amigo indócil, já francamente hostil, o amor inimigo, pele na pele, breve memória que, por um momento fugaz, lhe fez bem. O sexo pela manhã. A preguiça esvaziando-a fisicamente, ela inteira estirada, os olhos fechados venha venha venha. *Como si fuéramos solamente y perpetuamente marionetes, vale decir, del capital y sus fantasmas por supuesto horrendos. Por supuesto. Sin embargo.* Expressões intraduzíveis. Um beijo na boca, demorado — é o suficiente para a paz, uma vez ela disse a ele. Não fale nada. Só me beije. Seja um homem-objeto, eu brinquei, e ele fingiu zanga. As estrias verdes de seus olhos, e a pele mulata, e eu tão branquinha, com meus olhos negros como as asas da graúna, somos uma boa combinação, ele disse. Mas eu não tenho os olhos negros como as asas da graúna. Donetti nunca foi um escritor realista, ao contrário do que ele pensa. Ele já sabe previamente o que quer ver, de modo que o que ele vê é o que ele cria, não o que está diante dele. Ele quer que eu comente o que ele escreve e imediatamente odeia quando eu digo uma primeira palavra, só pelo meu tom de voz, lá no fundo a sombra adversária. *Você precisa descansar*, eu disse. Você está no centro de uma crise total — talvez eu diga isso a ele. Acha o governo Dilma uma *merda completa* e passa o dia falando dos *escrotos* da oposição, *a pior direita* do Ocidente; a política de cotas raciais, dependendo da quantidade de vinho, é ao mesmo tempo um retorno avesso ao nazismo, *eu tenho de confessar que sou negro ou branco, para o Estado me encaixar*, e, duas taças adiante, o único modo de quebrar a inércia racial do país mais preconceituoso, racista, violento e intolerante que existe. *Somente o capitalismo, e seu entorno político saudável, tem o poder de criar riquezas sustentáveis, e o ódio de grande parte do pensamento contemporâneo a ele é menos ditado pelo saber econômico que pelo ideal milenarista cristão que suprima a diferença, antes de tudo, na alma humana, e não apenas no prato de comida. La contradicción que —*

Os dentes na torrada, *clact*, manteiga na gengiva, e ela calculou: média de quinze laudas por dia, isso vai dar cento e — e o telefone tocou — quem ligaria tão cedo? Apenas Donetti, é claro, e Beatriz sentiu-se enredada quase que fisicamente, os fios apertando-lhe o peito, o desejo e o não desejo, o que diria Felip Xaveste desta ambiguidade? *A chamada teoria da microfísica do poder é uma lavagem cerebral filosófica destinada a fazer, de cada gesto, um gesto* [movimento?? evitar repetição] *suspeito, não a revelar o que de fato está em jogo quando agimos.* Preciso trabalhar, mas ele não quer que eu trabalhe; preciso de liberdade, mas ele não me quer ver livre; preciso de dinheiro, e ele finge desprezá-lo; preciso de clareza, e ele gosta de turbar o mundo; gosto da luz, e ele ama o escuro — eu respiro, ele conspira, como disse o poeta. Gosta de me manter no cercado, de que só ele tem a chave. *A paixão física é a chave*, ele sussurrou uma vez na minha orelha. A dependência é sempre um ato desesperado de afeto. Você simula uma altissonância existencial que está em lugar algum, eu poderia dizer a ele, ofensiva — você é bonito mas é pequeno, Donetti, e aquele ressentimento como que azedou-a já no segundo toque do telefone, de onde eu tirei esse sentimento refratário, que a envolveu como uma culpa, *são os sacerdotes* [curas??] *redivivos, denunciando, do alto da autoridade da cátedra, cuja aura defendem com o ardor de santos medievais, a alienação contemporânea de modo a agigantar a culpa alheia* — minha máxima culpa, eu poderia acrescentar, e o telefone tocou pela terceira vez. Levantou-se lembrando de Bernadete meses atrás e do telefone de madrugada — *minha mãe morreu* — e a amiga rompeu o choro, tão simples, a coisa em si, e a toalha-torre na cabeça (*isto não é um turbante*) bateu no armarinho quando ela se inclinou para a pia devolvendo um pires avulso, e Beatriz reviu o futuro marido da Jussara, convidando-as (na verdade convidou a Bernadete, eu só peguei carona) para um final de semana em Caiobá, *ele vai casar de novo com uma menina vinte anos mais nova*, Bernadete havia contado com escândalo e um riso punitivo reprimido, a mulher quase mais nova que a filha, e imediatamente ela sentiu a agulhada de um mal-estar, *vigiar e punir é a ação do filósofo, não de sua vítima intelectual*, e ajeitou ansiosa sua torre na cabeça, um último fio de água escorreu dos cabelos ao pescoço, e o telefone tocou pela quarta vez: um gesto infantil diante do espelho, a toalha caprichosamente enrolada sobre os cabelos molhados como a torre de Babel das gravuras da velha Bíblia para crianças, e seu irmãozinho perguntou, milênios atrás, no miolo da infância, a profunda admiração diante da obra de pano na cabeça da irmã dois anos mais velha: como você consegue?! E ela se sentiu, pela primeira vez, adulta. *Há uma utopia subjacente à insídia do saber fucault foucaultiano: eliminar todos os eixos de referência social que permitem a escolha do gesto cotidiano, de modo a atingir a liberdade,* o Graal, *que, sem âncora, reduz-se enfim, como um retorno espetacular à inocência filosófica romântica, à fraude moral sartrea sartriana, à contingência, que deixa de ser a arena da responsabilidade e se transforma, feito caixa de Pandora existencial, no delírio assustador da pura liberdade.*

Contingência: estado do que pode ou não acontecer; eventualidade — e Beatriz se viu, mais de um ano atrás (e a imagem sempre retorna, a *culpa*), na varanda confortável de um confortável quinto andar, diante do oceano misteriosamente banhado de graça naquele litoral tão sem graça, um fio trêmulo de lua cortando as águas, às três da madrugada, depois de muitas risadas e muito vinho; a amiga de Bernadete iria se casar duas semanas depois e aquilo funcionou como uma breve catarse de solteiras, em que Beatriz se percebia levemente deslocada, aqueles três quatro cinco seis anos a mais diante das colegas *quase crianças*, ela sempre se sentiu *um pouco mais velha*, até mesmo *superior*, como que diante do irmãozinho admirando-lhe a torre de toalha sobre a cabeça, o que a encaixava em outro patamar, *a mulher vivida*, alguém a definiu. Uma pessoa *dócil*, você é uma pessoa *doce*, Bernadete uma vez lhe disse, e ela ouviu *dócil*. Talvez temesse a piedade alheia — uma bela jovem que perdeu a família inteira de um golpe e tornou-se, como lhe disse Donetti, tentando extrair beleza da tragédia, um experimento metafísico da liberdade, despertando não a inveja, mas a piedade — e, temendo a piedade, visse-a em toda parte, as mãos alheias se aproximando em círculos para socorrê-la dos perigos da liberdade e prendê-la bem firme, não saia daqui, e como para se defender, *Xaveste está me influenciando*, estendeu a mão *contingente* abrupta ao telefone enfim encontrado no sofá sob a pilha de almofadas, já tocando pela quinta vez.

— Alô.

A voz saiu-lhe fraca, a primeira palavra real do dia. Esperou a resposta de Donetti, talvez bêbado, pouco antes de enfim se largar na cama, ele ainda vai se matar como um poeta dos anos 1970, alguém que não saiu da cápsula do tempo, a porta da geringonça emperrou e ele passou os quarenta anos seguintes respirando o mesmo ar, quando então diria, *meu anjo nórdico, polaquinha dos meus sonhos, a escrava eslava* — e Beatriz sorriu com a imagem, o idiota pensa que eu sou Gabriela ou Dona Flor. Ou então ele se acordou de susto, aquele bafo rouco de onça, a demora na sintonia, até dizer, estranhamente tímido, *Beatriz, minha querida*, ao que se seguiria uma respiração à procura da próxima palavra, o medo terrível de errá-la e perdê-la, Donetti sempre acordava com medo, o amanhecer assustador, *síndrome do pânico*, uma vez ele disse, *segure firme minha mão que eu estou caindo*, isso é labirinto, disse-lhe o médico — lembra das personagens do século 19, moças que viviam tendo vertigens? O filho da puta estava insinuando que — e Beatriz achou graça mais uma vez, *ele está perdendo o humor*.

Mas não veio voz nenhuma do telefone — um ruído, um trecho de silêncio e em seguida o tom de ocupado: desligaram? E Beatriz se distraiu, olhos para debaixo da porta da sala, onde de fato — meu ouvido não falha — havia um envelope com 90% à mostra, ela calculou, mas o grauzinho de miopia não permitiu que descobrisse se era a conta de luz, de telefone, do banco, da TV a cabo, do condomínio (não, essa já veio ontem), e assim, onde deixei meus óculos?, com o tu-tu-tu-tu-tu ainda repercutindo na orelha, avançou para a porta, tentando adivinhar o que seria, até perceber, mesmo a distância, que era um envelope em branco, era de fato um envelope, não uma folha A4 dobrada como pareceu num relance, sem destinatário nem selo nem nada, alguém que passou no corredor e enfiou aquilo debaixo da porta, uma circular do síndico talvez; na última reunião de condomínio, e a lembrança da reunião azedou-a imediatamente, aquele povo é inacreditável, *não dá para dividir a conta da água por apartamento, porque tem gente que não fecha a torneira e se recusa à inspeção, que, por lei — além disso, não é justo a dona Beatriz, que vive sozinha (a senhora está sozinha, pois não?) pagar o mesmo que —* e o barulho do oitavo andar, é festa toda noite; sim, riscaram meu carro na garagem com um prego, toda a lateral, e justamente no ponto cego que a câmera não pega, mas eu sei quem fez isso, não precisa nem requisitar a gravação, e a mulher olhou justamente para mim, quando queria olhar para a mãe das pragas do quarto andar, e me deu uma vontade de — *Faz diferença? Não vá mais àquela merda*, encerrou Donetti, impaciente. *Toda a história do homem, cada detalhe do mergulho narcísico através da hermenêutica dos objetos do mundo e da relação entre a linguagem e as coisas parece desenhar uma grande fuga cujo fim último é descrever a própria depressão e o impulso suicida, como se, por exemplo, a vida de Walter Bem Benjamin não fosse uma vida, mas apenas uma metáfora, de onde devemos extrair algum ensinamento secreto, do qual ele nos deixou apenas pistas, pequenas evidências adrede* [intencionalmente??] *largadas pelo caminho. La condición humana contemporánea* — e por um segundo Beatriz ficou entre cinco passos da porta e o desejo de voltar ao computador e continuar a trabalhar, avançar na tradução, prosseguir o embalo madrugueiro assim de roupão mesmo antes de enfim começar o dia, o telefone mudo na mão — que voltou a tocar.

Foi aquele *A senhora está sozinha, pois não?* que me irritou, a insídia da *senhora*, e novamente agora, só de lembrar, ela concluiu, *o tempo*, como quem se analisa a frio paralisada entre o telefone exigente, a tradução e o envelope em branco sob a porta, e enfim teve a ideia simples de consultar a telinha do aparelho sem fio — eu ainda sou do tempo em que se discava o número, réc-réc-réc-réc fazia o disco girando, disse o homem na varanda, o dedo repetindo o gesto, fazendo graça no escuro, um mar inteiro diante deles, e eles riram, o disco voltava lentamente, tic-tic-tic-tic, disque M para matar, ela lembrou, e sentiu o impulso de contar, *sim, eu me lembro, o meu pai* — mas Beatriz não disse, falar no seu pai talvez soasse como uma indireta quem sabe agressiva naquele instante bem-humorado de paz, não disse mas lembrou, a imagem de infância do telefone negro, elegante, cenográfico, na mesinha de canto com pés de palito, o toque estridente e inconfundível, e ela não disse para não aproximar os *pais* no mesmo terreno afetivo e — é verdade, Bernadete, ela teria de acrescentar se algum dia tivesse a coragem de lhe contar, talvez a única zona obscura desta nossa longa e profunda amizade, *as coisas que não contamos nem para Deus* — e também para não revelar minha idade, e ririam como tantas vezes — o que significa (vá adiante, Beatriz, com frieza) que eu estava *aceitando* a intimidade nascente *com um homem casado*, o gesto de me descolar discretamente das amigas mais jovens neste fim de semana de praia que caía do céu e também discretamente me tornar mais velha e, *portanto*, os goles de vinho fazendo efeito — olhou para o visor cinza e apagado daquela porcaria de telefone sempre sem bateria e fora da base, virou-o para a luz, e apareceram as letrinhas digitais, *número não autorizado*, aporrinhação de operadora ou redação de jornal, disse-lhe Donetti, quando me pedem resenhas nunca aparece o número, os jornais se protegem dos chatos que retornam, e é da natureza do chato retornar, e ele deu uma gargalhada para nela se esconder. *Número não autorizado.*

— Alô?

Desta vez — os olhos ainda fixos na intriga do envelope em branco sob a porta — a ligação não caiu; ela ouviu alguns cliques e depois de uma breve pausa, uma voz feminina e gentil:

— Por favor... a senhora Beatriz Lemes?

O nome de casada, e pensou em dizer *não, você errou de número*, e desligar em seguida, é algum cadastro antigo que caiu nas mãos de alguma agência de marketing que agora iria persegui-la todos os dias para vender seguro, banda larga, assinatura de jornal, TV a cabo, celular, mas alguma coisa gaguejante na voz indicava que não, e Beatriz, olhos ainda no envelope branco oferecendo-se no chão, respondeu um *sim...?* inseguro, quase acrescentando, *não sou mais Lemes*, não tenho mais leme, como brinquei com a Bernadete anos atrás, o trocadilho bobinho, sou uma mulher enfim feliz, mas não disse nada, à espera.

— O senhor Erik Frielingh Höwes, da Comissão da FIFA, quer falar com a senhora. Um minutinho por favor.

— Quem?!

O nome do sujeito foi cantado com a força de um prêmio do Oscar, *eu entendi direito?!* O fone certamente foi passado adiante, porque houve ruídos, uma pausa e ela ouviu uma frase incompreensível ao fundo. *FIFA?!*, matutou Beatriz, à espera, e isso jogou-a no instante presente: Curitiba é sede da Copa, mas será que o estádio vai ficar pronto?, perguntaram na última reunião do condomínio, antes de fechar o quórum para dar início à batalha das trocas das janelas de ferro do prédio pelas janelas de alumínio, aquelas conversas gentis na roda informal de cadeiras no salão de festas, e alguém fez um discurso inflamado contra o absurdo da Copa do Mundo, milhões jogados fora nesses elefantes brancos, o país carente de tudo! *Isso é uma roubalheira total,* concordou o seu Amauri, se um dia abrirem aquelas contas, nós — e eu tentando deixar a cadeira perto da porta de saída, as reuniões sem fim, depois de votar as janelas eu saio de fininho. *Minha tia mora ali perto da Baixada, aquilo está um horror com as obras e as greves dos haitianos!* — o *haitianos* criou um frisson silencioso de alguns segundos, e a palavra *negros* pairou em silêncio entre eles por alguns segundos como um holograma de uma sessão espírita. E o pior, retomou alguém sacudindo o dedo, é que o dinheiro é público, empréstimos subsidiados, mas quem vai ficar com tudo no final da festa é o Atlético! Era para ser uma observação meio séria, meio engraçada, a denúncia da malandragem na conta da rivalidade das torcidas, mas errou-se a entonação, e a tranquila reunião de condomínio, nem começada, já parecia ferver de ódios, *eu sou uma pessoa delicada, Donetti, odeio confrontação.* Felizmente, o barbudinho tímido que eu sempre encontro no elevador aliviou a tensão com um sorriso: Ele está dizendo isso porque é coxa-branca, eheh!, e se encolheu na cadeira, como alguém que fala demais, percebe o erro e sente vergonha. *Ah, eu tinha vontade de ver um jogo da Copa do Mundo, pelo menos uma vez na vida*, sonhou a mulher do síndico, dando um suspiro e olhando para o infinito, e o próprio síndico deu um tapa na mesinha para acordá-la do devaneio ridículo, *Então, começamos? Vou ler a ata da última reunião.* Perdi duas horas cronometradas da minha vida ali, entreguei aquele tempo ao Nada, ela planejou contar ao Donetti como uma brincadeira e uma censura, porque ele sim poderia trabalhar mais, em vez de —

— Mais um minutinho, por favor. Ele já vai falar com a senhora.

Beatriz deu três passos em direção à porta, *esse envelope só pode ser recado do condomínio*, ela concluiu, já se antecipando a uma possível cobrança extra do fundo de reserva, *mas eu já paguei*, ela disse há dois meses, e ainda estavam tentando descobrir a fonte do erro, *aqui está o recibo, seu Antônio*, o boleto bancário, que o seu Antônio conferiu atentíssimo, como quem decifra um tijolinho cuneiforme da Mesopotâmia, ela relatou ao Donetti, dando um toque literário ao relato, *mas o seu apartamento é do bloco B*, disse o homem, afirmativo, o que deixou aquele *mas* sem sentido, o cacoete de ser contra. *A ideia básica da conspiração filosófica ocidental moderna é o impulso de* Thanatos — *como um* [uma??] *adolescente revoltado, a filosofia tem vergonha de sua história excludente, e quer um novo saber que, desta vez, como uma arremetida* [ataque forte?? — ela pensou num touro e na Espanha, *Xaveste é um falso catalão, pois escreve em espanhol*, disse-lhe o editor, cortando a carne sangrenta sob a figueira enorme e ignorando completamente

Donetti, que, recém-chegado, fingia escolher algo no cardápio, *você viu os preços daquilo?! Só pessoa jurídica come ali!*], *como uma arremetida transcendente definitiva, refaça e planifique a condição humana à imagem de um desejo totalitário. O célebre postulado de Marx* — e Beatriz abaixou-se, puxando enfim o envelope, que resistiu um tantinho para se soltar da opressão da porta, *la filosofía ha se contentado en explicar el mundo, pero es necesario transformar el mundo* — *un postulado que en verdad significa transformar el hombre, y aquí está exactamente la raíz del fracaso occidental.* "La opresión de la puerta", Beatriz inventou e riu sozinha, contemplando o envelope em branco, frente e verso sem um sinal, aba fechada com cola branca ainda úmida, ela sentiu pelo tato — virou-se para ver aquilo contra a luz, fazer o raio X do envelope, disse-lhe alguém uma vez na banca de jornal diante de um pacote de figurinhas do Brasileirão, e ela achou graça, o raio X contra a luz da janela da sala e o envelope revelou nada exceto a sombra de um retângulo interno, uma folha qualquer dobrada, quem sabe também em branco —

— Beatriz Lemes?! Bom dia!

Um sotaque forte revestindo o capricho estudado do *bom dia*, que ela tentou imediatamente localizar, e, como quem quer ganhar uma gincana divertida, decidiu: alemão. Talvez holandês, concedeu. *Erik* pode ser qualquer coisa. Pode ser um carroceiro de Blumenau em vez de um figurão da FIFA. Eu namorei um holandês uma vez, ela contou ao Donetti. Especialista em flores — veio para um simpósio em Holambra, em São Paulo, e depois fez um *tour* por colônias holandesas — uma delas (nunca esqueci) se chama Não-Me--Toque, e Donetti se divertiu bobinho com o nome — *mas a mim você pode me tocar*. Ele passou por Curitiba, vindo de

Castrolanda, esbarrou em mim por acaso no corredor da Federal e falava muito de tulipas. *Você sabia que a Bolsa das Tulipas quase quebrou a Holanda no século 17?* Fiquei encantada. Vivemos um namorinho de três dias. Tenho profunda admiração pela Holanda, a tolerância moderna da República, fiz questão de lhe dizer; mas acho que ele me achou demasiado *eslava*, como diria o Donetti — provavelmente ele queria alguém mais escurinha. Donetti não deu trela àquela conversa solta, ela gostava de falar dos mistérios da pele, o estranhamento da diferença (*o holandês tinha sardas e cabelo vermelho, como um cromo de um álbum de figurinhas típicas*) — mas ele invariavelmente ficava com ciúme. *Especialista em flores?!* — sempre um sarcasmo sutilmente identificável nas perguntas sobre sua vida pregressa. Só faltou acrescentar: *coisa de veado.* A brincadeira idiota que, pelas frestas, não é brincadeira. Ou estou intolerante demais? *Essa porra do politicamente correto está fodendo com o Brasil.* A questão — alguém me disse — é que os homens, por natureza, não são femininos. Não espere isso deles. Por mais delicadinhos que sejam, um dia eles rosnam — é só esperar. E eu perguntei: Será que eu sou homem? Rosnei — e ele riu. Quem era mesmo? Agora deu um branco.

— Sim?!

— *Sorry if I...* — e a voz passou a um sotaque lusitano estropiado — Estou a telefonar por *indicaçao* da *professoressa* Samanta, do Instituto Goethe, de Curitiba, *do you know* ele?

— Sim. — Conhecia o instituto, é claro, estudei lá, mas não a professora, que ela começou a procurar na memória, Samanta, Samanta. A mistura de línguas de *Herr* Höwes agoniou-a, *mas é belo ser chamada de professoressa*, ela iria contar à Bernadete, e as duas achariam graça. *Professoressa.*

Só depois soube que Erik havia trabalhado, por vias tortas, na Federação Italiana, de onde subiu à FIFA. *Os italianos são todos corruptos, do gandula ao presidente do clube!* E você acha que a FIFA está preocupada com isso?, perguntou Donetti. Sem a corrupção, de onde eles vão tirar dinheiro? Serão todos funcionários com holerite, o Blatter conferindo o salário no final do mês, para ver se não erraram o cálculo do vale-transporte? — O senhor pode falar inglês. *Please, you may...*

— *Oh, thank you so much!* — e Beatriz ouviu um suspiro imenso de alívio. Era um inglês de estrangeiro, escolar, inteiro nítido, o que relaxou-a. Um estrangeiro é sempre uma porta aberta mental, o espelho de Alice, você sai do próprio chão e dá uma espiada lá fora. *Veja como eles são interessantes! Para quem vive no Brasil*, prosseguiu a memória de Beatriz, quem foi que me disse isso? — Meu nome é Erik Höwes. Sou assessor *ad hoc*, por assim dizer — e ela pensou ter ouvido um sorrisinho quase envergonhado, alguém que usa a expressão *ad hoc* e no mesmo instante se pergunta se teria sido adequado este latim no meio de um telefonema em inglês a uma desconhecida que talvez — Eu sou assessor da FIFA para assuntos da Copa do Mundo no Brasil! — simplificou o homem, quase como um desabafo. Talvez ele fosse um alemão católico, com formação em latim. Um ex-seminarista na FIFA. *Um coroinha no bordel* — é isso que o Paulo vai dizer, tenho certeza.

— *Yes* — repetiu Beatriz, tentando dar um toque mínimo de simpatia receptiva. *Eu pensei imediatamente em dinheiro*, ela confessou a Bernadete (*Afinal, o que você vê na Bernadete?* — *que mal lhe pergunte. Ela é tão —*); imaginei que seria uma proposta de tradução, na pretensão da minha nova vida, e elas riram. Tradução que, de fato, acabou sendo, embora não exatamente. Quase como um escapismo do instante presente, enquanto ouvia a voz Beatriz voltou ao raio X do envelope contra a luz da janela — parecia haver sombras dentro da sombra do retângulo cinza fora de prumo com o retângulo do envelope, *o escapismo do instante presente*, uma expressão de Donetti; *é do instante presente que eu quero escapar*. Pero no hay coartada para la vida, diz Xaveste.

— Faço parte da comitiva de Jérôme Valcke que está visitando as cidades-sede da Copa do Mundo. *Fascinating!* — entusiasmou-se ele, e ela se viu repetindo a expressão, *fascinating!*, esse desejo engraçado de um estrangeiro mostrar que ama o Brasil, há sempre um tom de exagero, um clima de desenho animado, uma indulgência divertida, uma macaquice gentil. *Fascinating!* Todo este samba! A caipirinha! Essas mulheres boazudas! Os índios na Amazônia! Que praias! Até os fuzilamentos na favela têm lá o seu charme! Mas isso ele não disse, é claro, mas era como se.

— *Yes* — repetiu Beatriz pela quarta vez, agora com um inflexão levemente interrogativa e, quem sabe, igualmente bem-humorada, o que talvez tenha se perdido, ou, pior, tenha se transformado num toque antipático, num discreto *diga logo, tenho pouco tempo a perder*. Você é meio brusca às vezes, alguém lhe disse, e no mesmo instante tocou-lhe o ombro com um gesto suave acompanhado de um sorriso apaziguador. Foi o próprio Donetti, no dia seguinte à primeira noite deles, no chão desta mesma sala, o seu *erro emocional*, disse ele. Ao fim, ele ficou um tempão dentro dela como um anjo priápico, ela apertando-o com força, *não saia, por favor não saia*, ambos de olhos fechados. *Não saia*.

Talvez tenha sido mesmo isso, ela avaliou depois, porque houve um silêncio quase que constrangido, *essas quebras de corrente mental, você já sentiu isso? O tempo todo*, disse a amiga, quando subiram a Curitiba no dia seguinte, no carro dela. *Mas o que foi mesmo que aconteceu, Beatriz? Vocês ficaram na varanda diante do mar, a noite fresquinha, a brisa, o vinho*. Sim. Não aconteceu nada. Mas. Quer dizer. *Aconteceu*, mas ela não disse o quê, mordendo a unha. Faz mais de um ano, e eu ainda —

— *Well* — e um breve gaguejar, alguém que procura as palavras. — Mais exatamente, faço parte da equipe de Charles Botta, equipe que é encarregada de avaliar os estádios da Copa e emitir pareceres, mas nesse caso vim a serviço da área de marketing, que é a minha especialidade, *so to speak*.

Charles Botta na bunda! — e Donetti deu uma gargalhada prolongada quando ela contou, no exato momento em que, grau de irritação máxima, Beatriz sentiu que iria definitivamente se separar. Um homem bêbado às dez da manhã. *Esses filhos da puta da FIFA. Da FIFA e desse governo de merda*. Chega. Há um limite para a admiração de um escritor — o autor de *A foto no espelho* ia como que derruindo a si mesmo, ano a ano, incapaz de voltar a ser o que havia sido. Eu nem sequer consigo contar a ele que trabalho vou fazer. O ego dele atropela tudo. Já passou o tempo dos beatniks, uma vez ela mordeu a língua antes de dizer (e não disse), egos e ogros mimados e estragados brotando como cogumelos, *a corrosão pessimista ganhou um novo fôlego na revolta da geração pretensiosa dos anos 1960; a célebre* [famosa?? cf. repetição] *defesa libertária da vida, que encontrou a mais ampla e sofisticada repercussão publicitária, o charme ostensivo* [boçal??] *do falso* outsider, *alimentado pelo desprezo à*

*relação humana que não fosse puro espelho, escondia o ovo
da serpente de um irracionalismo totalitário e impaciente e
que acabaria, décadas depois, aninhado nos velhos jovens de
antanho* [antigamente??], *por armazenar* [ordenar??] *todos os
ódios em gavetas étnicas, raciais e religiosas (quando não
tudo ao mesmo tempo) regulamentadas sob a sombra esma-
gadora do Estado onipresente distribuindo benesses como
taxa de sobrevivência.* Ao fim de tudo, por falta de assunto,
eles saem da Inglaterra, da Bélgica e da França para degolar
infiéis no Exército Islâmico, mas isso não está no Xaveste —
ela leu em outro lugar. Você poderia processá-lo, alguém
poderia sugerir — ele pôs a mão no seu joelho, não? O futuro marido da sua amiga (ela não é minha amiga, eu mal conhecia), que dormia ao lado? Se isso não é assédio, é o quê?
Sim, mas seria a minha palavra contra a dele, e Beatriz arrependeu-se imediatamente da própria observação, que lhe
soou canalha, ou escapista (na verdade, apenas uma mentira) — eu estou omitindo o que houve até para mim mesmo.
Por que eu iria contar essa história?! E no entanto.

— Ah, pois não. — Bem, eu senti que vinha uma proposta grande de trabalho e imediatamente pensei na tradução
ainda inacabada, a entregar em breve, e que desculpa eu
daria ao falso paulista, que me entregou Xaveste como um
prêmio de iniciação às traduções de prestígio, *chega de traduzir porcariada sentimental ou aquele kitsch pornográfico
da Kelly Travis, a calcinha de seda branca, a gravata-algema
e os trinta modos de amar sem fronteiras,* que ela assinou
com pseudônimo, Margareth S. Taylor, tenho um nome a
zelar, *ou um corpo a zelar,* ela disse, rindo da imagem; e,
afinal, a pornografia *soft* tem sempre um toque engraçado
mas nunca de núncaras que eu ia botar meu nome de tradu-

tora naquilo, e — ela imaginou-se contando — acredite, é como se eu vivesse sob o terror de uma escravidão profissional, fosse perder minha liberdade ao aceitar dinheiro da empresa do Blatter. Empresa?! — indignou-se Donetti — aquilo é uma máfia! Ou uma ONU, dependendo do ângulo. E agora traduzindo esse "direitista moralizante", alguém me disse (não, não foi o Donetti, foi a Bernadete, repetindo a acusação de um professor da pós, veja que besteira!). *Você às vezes é tão tolinha, Beatriz — o mundo inteiro quer trabalhar pra FIFA! Os caras não têm onde enfiar o dinheiro!* E eu disse: *E eu aqui fazendo cu-doce!*, e ambas riram, mas ela de mau jeito, como se corrompesse alguma coisa entrando numa zona cinzenta da vida. *É a "tensão Donetti". Era tesão; agora é tensão. Você me assedia intelectualmente, uma vez eu disse.* Eu peguei isso dele, ela pensou: viver fazendo piada de tudo. É uma válvula de escape maravilhosa. Ela ouviu o pigarro. Talvez o homem se surpreendesse com o silêncio quase hostil de Beatriz. Um alemão acostumado a que lhe abram portas rolando tapetes vermelhos diante dos seus pés. *Eu resolvi estender um tapetinho,* ela contaria depois, com uma risada. — E a professora Samanta, do Instituto Goethe, sugeriu meu nome para...

— Sim sim sim! — ele repetia entusiasmado, feliz por retomar o fio da meada e entrever alguma simpatia na *candidata* ao emprego, como ele diria a ela três dias depois, *candidata*. Porque, afinal, Curitiba era uma cidade *candidata*, mas tudo está indo tão mal, o estádio mais atrasado de todos, que Porto Alegre pode tomar nosso lugar e receber os jogos previstos para a cidade, alguém disse na imprensa, o que se transformou imediatamente num tiroteio verbal da seção de cartas, *O que seria uma vergonha para a cidade e para o Estado! Uma cidade com a tradição urbanística moderna e transformadora de Curitiba é incapaz de erguer um estadiozinho no prazo, como se aqui fosse o Maranhão!* — Eu vou precisar de uma intérprete em Curitiba.

Intérprete?

— Entendo. — Eu não quis dizer na hora que não era exatamente uma intérprete, que nunca fiz tradução simultânea, a câmara de horrores dos tradutores, aquilo é uma tortura, ela lembrou mais tarde, reavaliando o telefonema. *Veja-se o exemplo do futebol,* dizia Xaveste no capítulo 2, numa digressão não tão breve pela filosofia do esporte, e conhecer Erik Höwes talvez possa ser útil para a revisão do texto, ela sonhou num átimo, ambos trocando ideias como dois *pensadores do esporte,* o que você acha dele?, eu perguntaria, lendo o trecho em voz alta: *o futebol concentra uma rede tentacular de interesses que se tornou o ponto de encontro de todas as tensões culturais e sociais, permeadas por um verniz civilizador (o ridículo "fairplay"), que é entretanto absolutamente* [totalmente??] *incapaz de dar conta do impulso selvagem, tribal, racista, sexista, primevo* [primitivo??]*, guerreiro e totalitário que, afinal, move todos os esportes e principalmente aquela tropa de machos bufantes sobre o gramado. O futebol feminino é uma contradição em termos, uma invasão de território simbólico masculino* — Mas eu — ela deixou escapar, como alguém incapaz de mentir, *eu nunca trabalhei como intérprete,* ela armou-se para dizer, retendo a língua.

— Sim, sim, intérprete, mas informal, quero dizer, no dia a dia — emendou ele, como se previsse a reação. — E talvez algum trabalho de tradução, para tirar algumas dúvidas imediatas, não muita coisa. Eu preciso... *I need...* — e ele pro-

3 0

curava a palavra, talvez afrouxando o nó apertado da gravata, curta sobre a curva da barriga, ela imaginou, *os alemães são diligentes, prestativos, rudes e honestos*, ela lembrou de um almanaque da infância com definições de povos, e ao lado a caricatura de um bávaro de bigodes fartos, o caneco de cerveja transbordante de espuma — *...sentir a cidade! The feeling!* É importante para o portfólio das cidades-sede da FIFA. *Mas preciso de expediente integral, alguém que me acompanhe* — ele frisou, *full time!* — e secretamente ela gostou de ouvir isso. *Escapismo.* Viu-se jantando com Herr Erik, ele barrigudo, o botão saltado na camisa estufadona sobre o umbigo, conferindo o rótulo do vinho diante do garçom solícito, e ela com o enorme cardápio aberto diante de si, indecisa entre o Tambaqui com crosta de gergelim e o Talharim ao molho vegetariano e um toque de gengibre, a ordem alfabética ao contrário, foi o que ela notou. *Me deu fome, Bernadete* — vou contar a ela. Antecipou a reação de Donetti: Quer dizer que você passou o dia inteiro com aquele alemão batata? Mas não a noite?! — a piadinha que não era piadinha. *Eu estou cheia disso.*

— Entendo. Sim, acho que eu... — ela enfim abriu a guarda. Veja, Donetti: aquilo parecia irresistível, ela depois diria a ele. Dinheiro não cai do céu, e um trabalho para a FIFA deve ser bem pago. Arrependeu-se em seguida por se explicar. *Eu preciso me afastar dele.* Considere, Beatriz, disse-lhe Bernadete — você criou uma dependência emocional do Donetti, e isso parece que está acabando com você. Desculpe dizer. E ela ficou calada, porque era verdade. Mas foi bom ouvir: um ponto de partida para a mudança. *Donetti*, ela diria, séria, e chamá-lo pelo sobrenome severa assim era sinal de gravidade, *nós precisamos conversar*. Nada mais original a dizer? *Eu não estou aguentando mais. Acho que não tem sentido nenhum a gente continuar.* Rompimento unilateral de contrato. *Não me procure mais.*

— *Wonderful!* — Beatriz imediatamente contaminou-se do entusiasmo de Erik. *Em nenhum outro terreno,* diz Xaveste, *o "wishful thinking" é mais eficaz do que no terreno da filosofia, porque o pensamento é, em boa parte, desejo. Vamos sutilmente nos encaminhando para aquilo que queremos, e a culpa é da filosofia. O mais neutro retrato do mundo é o desejo de moldá-lo ao meu olhar. Sempre foi assim, mas havia nos séculos anteriores o contrapeso da pressuposição racional, o eixo exterior de referência que Decartes Descartes enterrou firme no solo, como que substituindo um Deus já inútil diante dos novos tempos e como que* [repetição??] *discutindo com o veleiro mental de Montagne Monte Montaigne, este balançando inseguro nas águas da existência; havia sempre, entretanto* [todavia??]*, o lastro moral pressuposto, que jamais entrava decididamente em jogo, era a peça irremovível do dominó mental, até que Nitzch Niect Nietzsche —* que merda esse ato falho ortográfico, a resistência da memória especificamente a nomes estrangeiros, que síndrome será esta? Tupi or not Tupi? Only Tupi! — respondeu-lhe Donetti com um sorriso. *E o pensamento contemporâneo —* Podemos então nos encontrar, decidiu Erik, hmm, deixe-me ver — e ela escutou alguma coisa perguntada bruscamente em alemão provavelmente à secretária ao lado, sim, ele é decididamente alemão e não holandês, e ouviu algo parecido com respiração pesada na boca do fone, parece alguém que subiu as escadas correndo, e então um "Bitte!", que retomou a conversa, quase que ela via *Herr* Höwes consultando severo o calendário, disso depende sua vida — hmm, na quarta tenho um almoço particular com Herr Botta... *Donnerstag!* Na quinta-feira, no final da tarde, para conversar?! *Aber,* por favor! — antecipou-se ele, como quem se assusta com alguma potencial reação absurda, ela quase viu as mãos erguidas dele, em defesa — Sem compromisso! Apenas para conversarmos sobre os termos do nosso *Vertrag,* a secretária explica, e ele parecia perdido, até que passou o fone adiante.

Tudo parecia vir com um duplo sentido — contrato; compromisso. Palavras pesadas para uma sensibilidade brasileira, segundo a lenda. O que diria Donetti, diante da proposta de separação? *Eu nunca fui uma boa menina,* eu preciso repetir a ele. *Sinto compulsões além do bem e do mal.* Ela prevê um longo silêncio ao telefone. Talvez ele desabasse e começasse a chorar, uma criança de quase 50 anos. Não. Ele jamais faria isso. Será um certo espírito materno meu, inconsciente, ou renascido das cinzas, que espera o choro? Não — quero apenas o afeto que me falta. Uma troca justa, porque eu — *Você sempre foi reservada assim?*, perguntou o futuro marido da Jussara, à vontade na varanda. Os afetos precisam de cenário — estamos acostumados a pensar neles com seus complementos espaciais, panos de fundo, temperaturas, um toque de palco e de teatro, a sensação de que enfim fazemos parte do espetáculo da vida. O figurino, a música de fundo, a maquiagem, tudo conta. E talvez também a observação gratuita da pequena noiva, tocando-lhe o braço como quem se apieda, *Você não casou mais depois da separação, não?*, que lhe bateu de mau jeito no ouvido. Alguém uma vez lhe disse: isso é alienação — você não está onde está. Vê a si mesma de longe. *As meninas saíram,* o homem disse, quando voltei do meu breve cochilo, o pequeno apartamento misteriosamente em silêncio, *cadê as meninas?* Estavam na saleta jogando oito maluco, todas falando ao mesmo tempo, e de repente ela, que não quis jogar, sentiu vontade de dormir, um sono irresistível, olhos pesados — *eu me senti velha, por que não fiquei em Curitiba?* Agora, o silêncio, *que horas seriam?* Avançou até a varanda, de onde vinha uma brisa gostosa, e ali estava ele, as pernas nuas esticadas, os pés cruzados sobre a mureta, a bermuda branca, a camiseta cinza, o uísque, o gelo. Eu é que estava tomando vinho. A essa hora, dava até para ouvir o mar, o mundo cheio de sombras. É engraçado, Bernadete — quando você cumprimenta alguém (no meu caso, um homem), você percebe (na verdade sente, é uma coisa meio elétrica, o poder dos olhos) o grau de interesse e, principalmente, a sua natureza, esse é o segredo, a natureza do interesse, e quando nós chegamos, naquela confusão das mochilas, eu fui com o mínimo necessário, lembra?, a mochilinha leve, *nossa, como é que você consegue?*, perguntou a Jussara mais para puxar assunto com a nova convidada, *eu quando viajo é aquela matula sem fim*, e ela riu, e ele avançou para me cumprimentar com energia, um homem que de fato ocupa o espaço onde ele está, eu senti a atenção especial, sutilmente diferenciada, *a Jussara falou de você, tudo bem?*, havia uma brevíssima consternação no tom de voz, talvez um *ela é aquela órfã que a Bernadete comentou*, a garotinha abandonada de um romance de Dickens (e Bernadete riu com um toque de reprimenda, *tudo para você é literatura, mas a vida real não é tão engraçada*), e ele estava esperando um amigo, *o Jônatas*, que me soou imediatamente, naquele primeiro instante, no meio da alacridade feminina de amigas que falam todas ao mesmo tempo prevendo um final de semana de absoluta felicidade, *a previsão diz que o sol fica até terça-feira*, me soou uma mentira, o tal *Jônatas*, o colega da empresa que não veio nunca, ele disse que chega à tarde, vamos pescar, uma espécie de álibi, o meu impulso punitivo decidiu que era mentira. O futuro marido de Jussara — *afinal, eles casaram mesmo de papel passado?*, tenho de perguntar à Bernadete — era um pequeno adolescente de cabelos grisalhos, feliz por se ver rodeado de mulheres novas, um aprendiz de fauno — ou será que eu sou muito paranoica? Ou só estou pensando isso agora porque houve o... o encontro mais tarde?

A natureza do interesse — isso me diz muito, eu disse a ela. A *microfísica do poder*, não, isso eu já traduzi, e Beatriz tentou manter o livro aberto até encaixá-lo firme sob o monitor. *E, por sua espetacular ascensão, potencializada pela televisão orwelliana, o futebol transformou-se no novo Eldorado, tanto para os milhões de jovens jogadores dos países periféricos, atletas garimpeiros* [excavación??] *atrás da grande pepita de ouro no circo do mundo, sob a rédea voraz de empresários atentos, quanto para os* [engravatados??] *manipuladores do dinheiro sem fronteiras que encontraram no futebol a mina de* — e ela voltou a pensar em *Herr* Erick Höwes, relembrando o telefonema (ao mesmo tempo em que via o envelope branco esquecido na mesinha, a cola úmida já deve ter secado, ela pensou ao acaso).

Por que você põe dois pontos de interrogação, e não um só, nas suas dúvidas?, perguntou-lhe Donetti, fuçando um trecho da tradução, a sem-cerimônia com que ele se sentava diante do computador dela, atrás, quem sabe, de um facebook inexistente. *Eu fechei minha conta, eu já disse.* (Mas não disse por quê: a figura grisalha da varanda farejava meses depois um retorno que fosse além daquela noite bissexta

3 5

diante do mar e bateu-lhe o pânico de alguma fotografia, uma frase, uma indiscrição, uma mensagem qualquer perdida que caísse no ventilador da caixa de Pandora da internet, essa merda de facebook. Me bateu uma *síndrome de pânico de internet — isso mata.*) Nem sempre foi assim, o Paulo avançando sobre o computador dela: ele, com o tempo, foi *ganhando confiança*, e Beatriz parou imediatamente de traduzir, espantada com a expressão que agora desembarcava na sua vida diretamente da voz de sua avó, vinte anos antes, reclamando de empregadas e diaristas, *elas vão ganhando confiança*, puta que pariu, *o passado nos condena*, dizia-lhe o editor a respeito de alguma coisa inocente pouco antes de Donetti chegar à mesa do restaurante da Figueira, *as palavras sempre vêm de algum lugar, prontas para uso*, dizia Xaveste agora dois parágrafos antes a respeito do *lugar--comum*, e Beatriz colocou as duas mãos no rosto para respirar fundo, um truque de infância, feche os olhos, respire fundo e as ideias insistentes e imagens obsessivas saem da cabeça. Eu estou cansada, é muita coisa no cérebro ao mesmo tempo, mas mesmo respirando fundo respondeu mais uma vez mentalmente a Donetti, as duas interrogações são dúvidas que deixo para trás de modo a não atrasar o trabalho, Sim, ele disse, isso eu sei, mas por que *duas*, uma só não bastava? Não, idiota (isso ela não disse, e sorriu agora de si mesma, estou melhorando), uma só é pontuação normal. No CTRL + F do word basta digitar ?? e eu chego diretamente às dúvidas, sem passar pelas ? interrogações comuns. E Beatriz sorriu de novo, lembrando da teimosia muar dele, aquele desejo subterrâneo de criar caso a todo instante, que se transformara na essência de sua vida, a prova de que ele estava vivo e atuante, *crie casos, encha o saco, não deixe por menos, é isso que eles querem, que você engula tudo,* Sim, mas agora você poderia usar só uma interrogação, porque esse livro do Xaveste é um ensaio, não tem diálogos nem perguntas, esses caras de direita só afirmam, são uns totalitários, ele disse meio brincando, *e atrás de tudo,* Beatriz concluiu olhando agora o teto, *está tão somente o ciúme brutal do Chaves, o editor, que foi se espraiando até chegar ao ponto de interrogação, meu Deus, tenha piedade, Donetti.*

Mas eu aceitei o jogo, Bernadete: voltei três capítulos da tradução, quase arrancando o mouse da mão enxerida dele, rodei uma página ao acaso, achei um exemplo, que li em voz alta: *Mas exatamente em que momento o projeto soviético equiparou-se em definitivo à barbárie nazista? Simbolicamente, já em 1918, quando Trótsky decidiu dar um fim à* [encerrar a??] *"fábula da natureza sagrada da vida humana". Em Kronstadt* — Tudo bem, o pentelho disse, mas é raro aparecer pergunta em ensaio. Um argumento ruim atrás do outro. Mas aí ele já estava pensando em outra coisa, saiu da frente do computador, distraído, e disse algo interessante, que me bateu — tudo bem que foi uma *manobra diversionista,* já que ele perdia irremediavelmente a discussão, mas por essas perguntas avulsas um afeto tranquilo voltava a nos tocar. Beatriz, você acha que podemos ter uma noção de "sagrado" sem recorrer a Deus? E ela ficou pensando diante do computador, a pergunta era boa, Donetti ao seu lado, subitamente pacificado. *Eu não sei se acredito em Deus,* ela respondeu, *acho que estou esperando uma revelação que seja realmente nítida.* Lembrou de Bernadete, que passara a frequentar terreiros, aparentemente por diversão, sob o transe emocional da música que é sempre parte integrante do ritual, como nos velhos tempos da velha Igreja: *A umbanda é a cara do Brasil.*

Mas isso é trapaça, ele disse, estendendo a mão para os meus cabelos com suavidade, um gesto que sempre me fez fechar os olhos e ele sabia disso, o clássico bate e assopra, e eu caindo sempre. Por que "trapaça", meu amor?, isso, passe a mão, assim, os dedos gostosinhos na nuca. Simples, Beatriz: porque, se você tem uma "revelação nítida", Deus perde o sentido, você não acha? Aí é simplesmente realidade, contra a qual não se discute. Sem o abismo da dúvida, que graça tem Deus?

Preciso trabalhar, eu disse abrindo os olhos e realinhando os cabelos, um modo de afastá-lo física e perigosamente de mim naquele instante, como quem acorda com desejo, assim como agora — e ela contemplava o envelope branco ainda sem abrir sobre a mesinha, a tradução bastante adiantada e o vazio expectante de duas escolhas, ou apenas acontecimentos não relacionados, *porque as coisas não têm sentido imanente nenhum*, diz Xaveste, *mas o pensamento messiânico, de Marx ao papa, precisa imputar-lhe* [atribuir-lhe??] *um sentido totalitário e excludente a fórceps, num espectro do desejo que vai da política mais ampla à forja mais íntima* [a mais íntima forja??] *da alma. Seremos todos escravos do "sentido", mas são sempre os outros que o determinam a ferro e fogo.* Você não acha ele bom?, perguntou-lhe Chaves ao telefone (na verdade, foi ela quem ligou, na semana seguinte, para confirmar o prazo, mas não era bem *só* para confirmar o prazo, seja honesta, mocinha), e Beatriz disse um *sim* inseguro e gaguejante — quase explicou que se movia com dificuldade no mundo das opiniões, aliás irrelevantes para quem traduz, no momento da tradução. *É que é até bom eu fazer uma suspensão total de juízo enquanto traduzo — só o autor deve falar, e sempre nas palavras dele, se isso for possí-*

vel, e ela riu, um riso que ele acompanhou imediatamente. *Mas, é claro*, ela como que consertava o que parecera meio rude, talvez, *a retórica dele é bonita, tem quase um quê anacrônico, uma voz rediviva*, e Beatriz ficou vermelha, não era isso que ela queria dizer, *desculpe, eu*, e ele imediatamente insistiu, *não, por favor, continue, é legal essa tua observação eu também acho que está havendo uma espécie de renascimento da retórica clássica, que recoloca enfim emoção na academia, por assim dizer. E é uma coisa meio ibérica, não?* Sim, sim, retomou Beatriz, nada a ver com o ensaísmo inglês, que tem outro tom, muito diferente. Estou vendo aqui na wikipedia que Felip Xaveste foi jornalista durante muitos anos, e isso diz muito, você não acha? *Exatamente!*, concordou Chaves. *Quando você vem de novo a São Paulo?* E Beatriz segurou de novo o envelope em branco contra a luz da janela, atrás de uma pista, e súbito voltaram-lhe o tom e a voz de Erik Höwes perguntando se ela se importaria de lhe mostrar a cidade talvez já na quinta-feira — ele havia usado a palavra *commitment, compromisso*, e Beatriz interrompeu a tradução para conferir agora as outras traduções possíveis no google como se houvesse um sentido secreto em *commitment*, um som sugestivo em português, *cometer*, fixando-se irracionalmente no absurdo *encarceramento*, sim, é claro, Mr Höwes, Beatriz já pensando em fazer uma pesquisa rápida de pontos turísticos, é uma vergonha, nasci aqui e não conheço Curitiba. *Não há nada para fazer em Curitiba, como é que você aguenta essa cidade*, disse-lhe Donetti num dos primeiros encontros deles, com a sutileza costumeira, ela comentaria depois, e Beatriz riu alto, *pois este é o nosso charme, uma cidade secreta*, e ele disse, *adoro essa tua pronúncia lêitê quêntê*, e ela se preocupou, como flagrada em erro: *Aparece muito na minha fala?!* Isso é importante, Mr Erik frisou, *ver a cidade*, muito importante, porque precisamos de *imagens* da sede para os *releases* internacionais da FIFA, e meu trabalho será exatamente fazer um rápido relatório preliminar que sirva de orientação para a equipe de marketing e relações públicas. Ela pensou entreouvir um sorriso quando ele acrescentou, *Não dá para confiar apenas nos relatórios oficiais do Brasil, preciso ver com meus próprios olhos.* Havia um toque jovial na voz de Mr Erik, e certamente nem lhe passava pela cabeça que aquilo poderia ser entendido como uma agressão à, digamos, pátria, afinal negócios não têm pátria, *vamos alugar um carro*, entusiasmou-se ele, mas interrompeu a ideia com um *wait a minute, please!*, voltando à linha depois de um minuto, *sorry*, eu tenho de desligar agora, mas conversamos quando eu chegar. Vou levar o contrato para você assinar, o escritório liga em seguida e pega seus dados. Ah, sim, o hotel! é próximo da... hmm... praça Osório, e Beatriz sorriu da pronúncia, aquele *Osório*, tão brasileiro e agora tão inconfundivelmente gringo, e desligou o telefone, depois de trocar ainda duas frases com a secretária, *Eu ligo em breve.*

Largou mais uma vez o envelope, sim, é uma folha só, mas parece mais pesado, ela sopesou, pensando na reunião de condomínio e entreviu num átimo o rosto do vizinho tímido referindo-se ao Atlético e se arrependendo em seguida, a brincadeira que não dá certo. Mas eu preciso adiantar isso aqui, Beatriz suspirou — *do mesmo modo como a droga, nos grotões degradados da América Latina, se tornou a única sustentação prática da velha utopia revolucionária (e, pode-se esperar, em breve será também do terrorismo islâmico global, assim como a papoula financiou o Talibã desde o desastre da ocupação soviética), o futebol assume rapidamente alguns postos estratégicos com exatamente a mesma função; o que sempre fez, em pequena escala — mas, agora, a FIFA — e* já sob a força invencível de uma ideia fixa, Beatriz parou de traduzir, a cabeça longe, e perguntou-se: *O que vou dizer a ele? Ou melhor:* como *vou dizer a ele? É o seguinte, Donetti: fim de linha.* No código da vida em comum, chamá-lo pelo sobrenome era sinal inequívoco de reprimenda, bem ou mal--humorada; mas esse caso era mais sério: *Paulo, fim de linha. Paulo, é o seguinte: não dá mais.* Poderia desenhar um breve histórico: *Desde que você passou por aquela porta, três anos atrás* (três? ou foram quatro? mau sinal eu não me lembrar, *eu poderia até dizer isso a ele), e esta tiete embasbacada serviu vinho e pizza, como áulica da corte do sacerdote supremo, vivendo o sétimo céu da admiração pelo grande escritor, quando você me agarrou na cozinha e me comeu neste mesmo chão que o meu pé amassou, até eu te levar anteontem de volta ao aeroporto, puta da vida, eu —*

Não, melhor não fazer histórico nenhum. Ninguém vive em perspectiva, olhando para trás e para a frente ao mesmo tempo: o presente é a única realidade. É simples assim. Eu não suporto mais o teu controle. Eu não aguento mais o teu ciúme psicopata mal reprimido que você deixa escapar até pela mínima entonação da voz, como alguém que quer dominar simultaneamente tudo e todos e principalmente a mim, oculto em si mesmo, no duplo da máscara (não; não vou usar essa imagem — é como fazer o jogo dele, ele iria repetir *O duplo da máscara, hmm...* o sorrisinho quase irônico e a mão estendida para me tocar, recuperar o círculo seguro do afeto). Dizer de outra forma, e ela olhou o teto: *Pensei quinze anos esta noite*, quem sabe, como um título de filme — Bernadete iria achar graça — *e cheguei à conclusão de que.*

Na verdade foram três (só três; não foram quatro) anos turbulentos com sabor de quinze — mas ele é capaz de entender isso como elogio. Não, nada de conclusões solenes: não vou falar como quem emite um parecer jurídico. Ridículo. *Donetti, meu querido.* Não não não não assim também não, pelo amor de Deus. A palavra *querido* tem um peso diferente aqui em Curitiba, você sabia?, ela lembrou com um sorriso. Não a usamos a torto e a direito, como os cariocas. Guardamos *queridos* e *queridas* com a mesma lógica da mais rígida economia doméstica, a dos campônios. Talvez explicar isso para Mr Höwes, e ela achou graça da ideia. Acho que os alemães são assim também: sólidos camponeses que temem o inverno e os povos invasores. *Querido Donetti*, só como ironia. Não pasteurize as coisas. Talvez matá-lo com uma única frase, o punhal direto no peito: *Estive na praia e beijei um homem*, e Beatriz sentiu uma ponta aguda de ansiedade, não era tanto pelo Paulo, que poderia descobrir por terceiros ou algo assim, não era nem pela ideia de traição, mas por mim mesma, ela diria a Bernadete, esse azedo que ficou na alma — talvez almoçar com ela hoje, eu preciso conversar com alguém, e Beatriz sentiu um sopro de animação, mas quedou-se contemplando o telefone, sem se mover. *Eu nunca fui uma boa menina* — e a ideia de compulsão voltou-lhe à cabeça, o álibi moral que ela alimentava, há um toque doentio na *compulsão*, e, portanto, sou inocente. Além do mais, Beatriz tinha um *histórico*, ou *prontuário*, e Bernadete iria dar uma risada da imagem, *prontuário!* Sim: uma mulher destinada à separação. E, lembrando-se de supetão, rolou as páginas rapidamente no monitor até o capítulo sobre a família e a crise dos gêneros, *quando o território das escolhas pessoais vai desaparecendo num limbo de opressões e compulsões morais coletivas, sob a ideia razoável de que tudo é cultura, abstraindo-se dela, como num passe de mágica epistemológico, o peso formidável da história e seu inextricável entranhamento no gesto cotidiano. Como um novo messianismo, o que se põe na ribalta* [palco?? tablado??] *é mais uma vez a utopia quiliasta* [milenarista??] *da tabula rasa, do homem (antes: da condição humana) reduzida a zero, para dali ela se refazer segundo a Nova Regra, quase sempre travestida em* ciência, *que sutilmente se transporta da descrição incerta, desejante e tateante, para a prescrição imperativa, necessariamente "moral". À falta de Deus, deificamo-nos todos — o pensamento contemporâneo dominante é o triunfo definitivo do bom selvagem de Rousseau, o mito da geração espontânea da cultura, que brotará naturalmente, uma flor no pântano, sem escolhas e determinações opressoras, porque (e este é o grande mistério), se tudo der certo, não morreremos no final — o que, em outra ponta, representa a morte definitiva da política como o único ponto de equilíbrio da sempre intratável convivência humana.* Não, não era esse trecho. Não me lembro mais. Xaveste falava de "fitness", o graal da cultura contemporânea ocidental, e eu lutei por uma tradução possível em português, ainda que a expressão estivesse em inglês no original e assim devesse ficar, é claro, e agora não encontro mais o que escrevi nem no CTRL + F — e o telefone tocou novamente, ao mesmo tempo em que — *plim!* — caía um e-mail na caixa, que ela abriu rapidamente enquanto soava o segundo toque do telefone. *Bea, acabo de saber que vai abrir concurso pra área de literatura na UTFPR; e, se interessar (comprei o jornal de concursos hoje cedo!), tem concurso também para a Polícia Federal e a Caixa Econômica! :) Bjs B.*

Não, Bernadete, não quero mais trabalhar na vida — obrigada! rsrs... — mas Beatriz apagou a resposta que começava a digitar — depois converso com ela. Não é isso que eu vejo no meu futuro, ainda que — a imagem de *professora*, a sombra da mãe, veio-lhe à cabeça, não pela presença na sala de aula, mas pelo grupo de amigos trabalhando juntos: viu-se sorrindo numa roda ao café, parte integrante da comunidade humana. *Minha filha, você precisa de mais amigas*, recordou a voz da mãe. *Por que você não escreve?* — disse-lhe uma vez Donetti, com uma entonação que tão nitidamente denunciava o próprio terror, a inimiga diante dele, e como para não feri-lo ela disse no mesmo instante quase irritada com a ideia estúpida que *não, não!, isso não faz sentido, nunca escrevi nada na vida*, mais um exorcismo que uma recusa, lembrando-se no mesmo instante do caderno de poemas de adolescência, parodiando Álvares de Azevedo e a tristeza romântica:

Se eu morresse hoje, por um triz,
quem fecharia meus olhos, Beatriz?

Perderia a metafísica de ficar aqui,
ou apenas o show dos Engenheiros do Hawaii?

Alguém no mundo daria alguma trela,
ou só lamentaria a perda da novela?

Meu irmão ficaria triste, de resguardo,
ou bem feliz por ganhar um novo quarto?

Ridículo, ridículo, essa rima quebrada, e ela riu, generosa e complacente com o sentimento da lembrança, misturado com a agulha da solidão. Mas, olhando de um certo jeito, e algum tempo depois, tudo é engraçado. *Não lembro mais do resto do poema*, imaginou-se explicando a Chaves numa próxima viagem a São Paulo, *quer dizer, se é que isso é poema* (e ela daria uma risada comprida e defensiva), e ele diria, também generoso, tocando distraído sua mão sobre a mesa, *Os engenheiros do Hawaii*, é o próprio espírito do tempo, não? *Mas você tem a leveza da frase e do verso, dá para sentir. Por que você não escreve*, ele vai me perguntar também. E eu vou dizer, ambígua, olhando nos olhos dele: *Não sei.* E Beatriz voltou do devaneio ao quinto toque do telefone:

— Alô?

— O que você está fazendo?

— Trabalhando — ela respondeu, automática e gelada, e no mesmo instante — *acredite, Bernadete* — o coração veio à boca e um fio de suor desceu da sua torre de Babel de toalha, cortando-lhe a testa. *É como se você, de repente, falasse com um estranho. Quer dizer, alguém conhecido que se transfigura num segundo em um completo estranho.* Ele sentiu o peso do curto silêncio.

— Aconteceu alguma coisa?!

Não exatamente, ela poderia dizer — o mar estava diante deles, a brisa era agradável, o silêncio convidativo, *e a melancolia bateu na minha alma com seu espírito secreto e esmagador de transgressão.* Eu definiria — ela teria de dizer ao analista, se algum dia tivesse um — que havia um desejo comum de *fechar os olhos*. A célebre "síndrome de fechar os olhos". *Vou patenteá-la. Não precisa: o Brasil é especialista nelas*, diria Donetti. *Ninguém sabe fechar os olhos com a tarimba de um brasileiro*, e ele daria uma risada da própria frase, como sempre. *Eu falo de pessoas concretas*, eu me irritaria — *quando se entregam a alguém, na cama ou fora dela, são idênticas no mundo inteiro, e fecham os olhos.* Talvez eu devesse acrescentar, a esgrimada final forçando o argumento: *De que outra forma eu aceitaria os braços do marido da minha amiga?* Não existe essência universal de nada em porra nenhuma, ele rebateria, pensando em contestar Xaveste, sem ter processado, ou sequer ouvido ainda, o que eu havia dito. Então vamos ao básico: você já não sabe, Donetti, que eu nunca fui uma boa menina — eu tenho de repetir sempre? Consigo ver a cabeça como um espaço sagrado da vida, mas não o corpo, que é desfrutável e funciona como margem de manobra existencial, *vale decir. Ah, é sexo o que vocês querem?!* — e ela e Bernadete riram desbragadamente da imagem, num daqueles pifões confessionais regados a vinho, dois anos atrás: *As mulheres são seres caçados o tempo todo.* O lugar-comum de um desenho da infância: o homem das cavernas com um porrete na mão direita e os cabelos da mulher na esquerda, ela arrastada para a caverna com um sorriso beatífico nos lábios. *Que é engraçado, é. Mas na vida real não é nada engraçado.*

— Não.

É claro que sim, ele deve estar pensando lá com os parafusos dele.

— Eu tenho de trabalhar — ela acrescentou, quase suave, como que para aquecer a frieza da primeira resposta, que lhe soou agressiva demais. Como devo dizer a ele? Frontalmente? *Eu não tenho mais interesse em você.* Ou lateralmente, a vingança tardia: *Estávamos diante do mar, me bateu uma sensação boa e tranquila, e ele me estendeu a taça de vinho.* Ou agressivamente: *Eu não suporto mais a sua companhia invasiva.* Ou esperançosamente: *Tenho razões para crer que Chaves está interessado em mim, e tenho certeza de que estou interessada nele.* Ou sinceramente: *Eu não tenho mais nenhuma paixão por você.* (Evitaria o "eu não amo mais você" porque é uma frase ridícula. Paixão, não: é algo forte e verdadeiro, que de fato se sente, por coisas e pessoas. E é uma palavra menos excludente que apenas "tesão". Tesão eu posso ter por qualquer um, a qualquer instante. Paixão é cultivada pouco a pouco, ao contrário do que se imagina. Bem regada, cresce, ocupa espaço, sobe pelas paredes, e ela imaginou um cartum animado. Talvez *atração*: *Lamento, mas não sinto mais atração por você.* É uma expressão mais neutra, quase científica — *atração*: é isso que sentimos pelas pessoas que nos agradam.) Ou diplomaticamente: *Estou precisando ficar sozinha.* Sim, esta é uma boa solução, uma solução clássica, elegante como uma regra de três, que empurra o problema para sempre com a barriga. Se bem que ele não é idiota. Daqui a pouco entra num ônibus na rodoviária de São Paulo (para economizar) e daqui a sete horas bate na minha porta, alucinado — ele batalha pelo que ama. Este breve anzol emocional puxou-a para um pouco mais perto dele, *afinal, Bernadete, temos uma história em comum,* ela explicaria à amiga recorrendo ao mais gasto lugar-comum, ao justificar-se. (Mas, no fundo, ela diria a algum analista, talvez tenha sido realmente o medo de que ele batesse naquele momento à porta.)

— Eu também tenho de trabalhar — Donetti rebateu, e aquilo soou curiosamente como uma frase honesta e objetiva, e não como um resmungo beligerante.

Como que para escapar do instante presente, outro fio de suor descendo pela testa, a ansiedade paralisante do enfrentamento, Beatriz girou a página do monitor até outro trecho ao acaso, em busca de uma carta de tarô qualquer, ela diria a Bernadete, que lhe confessara há três semanas ter ido a uma *gira de umbanda*, com uma risada divertida, *o ogã tocando atabaque, você vai como se esvaziando pelo ritmo* — *A perda cultural da fundação ética clássica, a estabilidade axiológica de uma ciência não relativa (ciência "da natureza" ou "das humanidades", que aí perdem distinção), promovida pela desconstrução genérica pós-moderna inaugurada conceitualmente por Deri Derrida, acaba por ser percebida* [assimilada??] *pelo indivíduo isolado, e repercutida pela cultura de massa, não como perda de referência, mas como conquista de liberdade.*

— Beatriz?! Você está aí?

— Sim. Preciso traduzir — a voz saiu falhada, quase uma súplica. *É como se eu estivesse acumulando vapor na chaleira, Bernadete, para explodir depois. Mas quem consegue explodir com Paulo Donetti?* Ele estava muito longe dali:

— Comecei a escrever um novo livro. Era isso que eu queria dizer.

A explicação já veio com um tom discreto de acusação: *Você me banhando em indiferença, e tudo que eu queria dizer era que estou escrevendo um novo livro.* De seu ego estufado, essa extraordinária confidência exigia que ela imediatamente se jogasse ao chão diante de seu gênio. *Mas não foi você mesma que estabeleceu a lógica da relação?* Outro fio de suor na testa, o batimento cardíaco acelerando-se: então vamos começar tudo de novo? — Talvez fosse isso que eu devesse dizer a ele, mas Beatriz apenas fixou os olhos no monitor, para fugir. *Em sequência, a "ação livre", já moralmente desgarrada* [extraviada??], *passa paradoxalmente a ser vista pelo* establishment *intelectual como gesto condicionado de um sistema opressor transcendente de que só nos livraremos pelo milenarismo político (as utopias de esquerda) ou religioso (cuja forma mais visível hoje é o radicalismo muçulmano). Vem exatamente daí a secreta comunhão espiritual entre os dois movimentos que transparece já quase sem disfarce em todo momento explosivo de crise, um* coqueteo [flerte - namoro??] *político pontual entre,* vale dizer [digamos??], *entre o fanático de turbante, de raiz no Oriente, e o esquerdista esclarecido, de raiz no Ocidente.*

— Vou precisar de você. Sinto uma puta alegria quando começo um livro novo.

La manipulación emocional — por que Xaveste não escreveu sobre este tópico? Sou vítima da manipulação emocional — primeiro, de Deus, que me sequestrou as âncoras todas da família num único desastre de automóvel, e em seguida dos homens, que me tiram a liberdade a todo instante. Não, isso não é verdade. Com quem eu conseguiria conversar sobre minhas escolhas? *A umbanda é um espiritualismo* soft, disse-lhe Bernadete com um sorriso convincente. *Você não briga com as forças do mundo; assimila elas todas e deixa o espírito do mundo descer sobre você.* Tudo bem: vou deixar as forças do mundo descerem sobre mim, em forma de palavras. *Não, não é isso, Beatriz — é o espírito do mundo que deve descer sobre você.* Sim, eu disse — as forças do mundo, ou o espírito do mundo, isso são palavras que escolhemos para a mesma coisa; sentimos algo, damos um nome a isso, e imediatamente a palavra assume o comando. *Não, não é assim; o espírito do mundo é algo* real. É verdadeiro. *Você pode sentir ele. Depois que a minha mãe morreu...* E então minha amiga segurou meu braço: *Beatriz, você não acredita em* nada?! Quase respondi: *Eu acredito nas palavras, não nas coisas,* mas a conversa ganhava uma entonação disfarçadamente hostil, duas cabeças que se batem de leve, *a Bernadete quer* mesmo *me levar a um terreiro de umbanda?! O que está acontecendo?* — e eu sonhei ter tido a percepção, ou simplesmente a intuição, do motivo pelo qual as pessoas se matam pela fé, *a disputa pelo comando e pelo controle da vida*, o que é uma guerra não contra o sacerdote, o xamã ou o papa, mas contra o vizinho, o amigo, o irmão, o namorado. O que diria Xaveste da minha brilhante conclusão? — e Beatriz sorriu em meio ao devaneio, *eu vou ao terreiro, tudo bem, Bernadete, faço um descarrego geral! Se Aldous Huxley experimentou mescalina, por que eu não posso frequentar um terreiro de umbanda?*, é isso que vou dizer a ela, sem ironia, apenas com humor, e vou lá mesmo desarmada, só para —

— ... de modo a incluir simultaneamente os diferentes pontos de vista na mesma sequência narrativa, Beatriz. Uma fusão de *eus* e *eles*, mas sempre a partir de um único eixo. Uma espécie de... de *apreensão* do caos dos nossos modos de perceber o mundo. Uma coisa que está na *frase*. O que você acha?

Beatriz se refugiou no envelope ainda fechado, sentindo uma estranha falta de curiosidade em abrir aquilo, essa aporrinhação do condomínio, será mesmo carta do síndico? — um cansaço genérico *descendo como um manto sobre sua alma*, ela poderia dizer, se voltasse a escrever poemas, *Por que não?*, perguntaria Chaves, um homem realmente gentil na sua vida, uma parceria possível, o editor e a tradutora, discussões febris sobre palavras no papel, *aqui é melhor* flerte *ou* namoro?, seguidas de beijos apaixonados e rodopiantes, ambos cambaleando entre mesas como na cena de uma comédia romântica, *como eu sou idiota. Você precisa sair da casca, em Curitiba você está fora do mundo*, alguém uma vez lhe disse, e Beatriz imediatamente se imaginou uma estranha entre 20 milhões de paulistanos, ruas escuras, metrôs lotados, manifestações na Paulista, prédios altíssimos, e acordou —

— Beatriz, você está me ouvindo?

Dizer o que a ele? *Você acaba de descobrir a roda. Já ouviu falar de James Joyce?* Não. Não preciso ser estúpida. Basta dizer as coisas tais como são. Parece fácil.

— Sim.

— E o que você acha? — e Donetti não deu tempo para a resposta. — Vou mandar pra você as primeiras páginas. Eu *sinto* que agora acertei a mão novamente. Eu sei que você continua esperando meu grande livro desde *A foto no espelho*. Pois estou perto dele. Eu não posso mais decepcionar você. Mas vou precisar de você.

Ele vem precisando de mim há anos — é uma necessidade inesgotável. Ao mesmo tempo, ele me elegeu a sua *autoridade*. Não estou esperando nada dele, ela contaria a Bernadete, não é assim que os sentimentos funcionam, mas ele precisa da minha aprovação para se sentir vivo, e Beatriz sentiu o desconforto da descoberta — em que momento a relação amorosa se desmantelou, transformando-se nessa secreta escravidão? *Mas enfrentar a liberdade e a responsabilidade da escolha* [opção??] *tem um efeito dominó inescapável — a ilusão multicultural, no seu limite, promove a paralisia ética de uma imaginária "fundação natural" de todas as coisas, necessariamente equivalentes entre si, descartadas para sempre as hierarquias moral, cultural, política ou estética; temos de simular* [fingir??] *que não estamos onde estamos, aceitar religiosamente a própria* renúncia *como um valor transcendente, deslocarmo-nos eticamente de tudo que cria o sentido intrans-*

ferível de nossa vida, para que o sentido da vida do outro ocupe o meu espaço, por princípio *culpado. Pero nunca hay coartada para el instante presente y la corrosión de* —

— Beatriz, meu anjo, cadê você?! Estou ouvindo o teclado. Desça à Terra, por favor.

A Terra é ele. *Não existe álibi para o instante presente.* Um álibi para o instante presente — sair deste momento. Estar em outro tempo. Em defesa, eu me coloquei no "automático", vou dizer à Bernadete.

— A ideia é sensacional, você vai escrever um grande livro, a crítica e os leitores cairão aos seus pés, mas agora eu preciso trabalhar, senhor Donetti. E eu tenho de adiantar o serviço porque — *melhor contar logo* — quinta-feira vou encontrar *Herr* Erik Höwes — ela confessou num impulso, como quem prepara uma peça de humor, aquele *Herr* engraçado, mas Beatriz sabe que é outra coisa que está em jogo. Um desejo de criar e alimentar atrito: é totalmente ridículo, mas ele não vai gostar de saber do meu novo trabalho. Entretanto, a graça do *Herr*, fechando a frase, secretamente tentava compensar a ironia agressiva da primeira parte. *Eu não sou uma pessoa totalmente má.*

— Vão cair aos meus pés. Sei.

E eu sei como machucá-lo, Bernadete. Eu conseguia ouvir o cérebro dele se remoendo sob a ironia ofensiva. Só então lhe caiu a ficha: Quem seria esse Erik alguma coisa? Troquei o telefone de ouvido, do esquerdo para o direito, para compensar o início de torcicolo, porque eu queria as mãos livres, e um detalhe da entonação de Donetti revelou que ele havia bebido — o que reforçou instantaneamente meu desejo de rompimento. Esse filho da puta está bêbado às dez da manhã e quer que eu tenha piedade dele. *O paradoxo do Ilumi-*

nismo, ela digitou, conferindo o texto original só para pensar em outra coisa, *está no eixo entre nacionalismo e internacionalismo, ou*, vale decir — o que eu ponho no lugar desta expressão?, perguntaria ao Chaves. "Vale dizer" não dá, dói no ouvido, e ele vai dizer, talvez fique melhor *isto é, ou seja, em outras palavras — em sua essência, a luta interminável entre ciência e política.*

— Quem é esse cara? Erik o quê?

— Erik Höwes. H-O-W-E-S. Tem trema no ó. O sobrenome eu não sei de onde vem, parece turco, mas ele é alemão. Ele é da FIFA. Eu vou trabalhar para a FIFA! — e Beatriz reconheceu no próprio tom da voz um ridículo orgulho desafiador, disfarçado habilmente (diria talvez Xaveste) de um humor falastrão. Lá bem no fundo, *eu ainda estava tentando provar alguma coisa, meu Deus.* Ele não pode me decepcionar, como se fosse meu empregado, e eu não posso ofendê-lo, porque ele é frágil — *um homem bom.* Funcionou, ela sentiu, pelo buraco imenso do silêncio que veio de lá. *Como todo homem, Bernadete, o Paulo é uma criança*, e as duas deram risada. *Quase eu acrescentei: agora eu sou uma tradutora padrão FIFA!*, mas isso seria tirar a tensão da conversa e devolvê-la à normalidade do humor. Era preciso manter-se em guarda.

— O Erik — o detalhe da intimidade simulada, para irritá-lo — é assessor do tal Charles Botta, que vem fiscalizar as obras da Arena da Baixada.

E então veio o trocadilho idiota e a gargalhada ofensiva: eu estava sem humor para acompanhar a piada. Seguiu-se uma catilinária energúmena contra *os filhos da puta da FIFA.* E Beatriz sentiu um vazio no peito, enquanto ouvia aquilo: *E esse filho da puta do Donetti, ele sim, acha que eu não preciso sobreviver?! Calma: ele bebeu. Está em altíssimo estado de excitação emocional porque começou a escrever a obra-prima que vai fundir todos os pontos de vista num só — o dele, naturalmente.* Mas Beatriz — ela sentiu a armadilha no exato momento em que caía nela — resolveu responder, o coração na boca, como se se tratasse de uma conversa normal entre duas pessoas. *Começou como uma conversa normal,* As meninas estão dormindo? Sim, sente aqui. Uma brisa ótima. Não quer um vinho? *O mar está mesmo lindo esta noite,* ela disse, sincera, apoiando-se no parapeito da varanda, e sentiu um prazer difuso, de quem acorda em outro plano da vida. É bom sair de casa de vez em quando. *Um homem charmoso,* uma presença agradável, ela teria de dizer, se algum dia confessasse, a vida inocente.

— Paulo Donetti, deixe de ser ridículo. É só um trabalho. Pelo que você diz, parece que vou me candidatar à presidência da FIFA.

Um silêncio curto, algo parecido com um soluço: mas é só mais um gole de vinho, ela concluiu.

— Desculpe, mas quem começou foram eles. Eles que disseram que o Brasil precisava de um pontapé na bunda. Lembra? Os caras chegam aqui e vão cagando regra por onde passam. O tal Jerônimo alguma coisa. Foi agora, em março.

— Jérôme Valcke. Mas você não acha que o Brasil precisa *mesmo* de um pontapé na bunda? Que patriotada ridícula é essa agora?! É um sósia do Paulo Donetti que está falando?!

Isso desconcertou-o, ela sentiu. Mas resistiu à ideia de tripudiar sobre ele, que refugiou-se na autocomiseração.

— Perdão, Beatriz. Não sei o que está havendo comigo. — Outro gole, que ela ouviu com nitidez. — Acho que estou tendo um surto de... acho que é... — *ciúme,* Beatriz pensou, mas ele não vai confessar: o ciúme corrói todos os poros da vida, alguém disse; lembra de Othelo?, ela poderia perguntar, recolocando a conversa no trilho civilizado da razão literária, mas isso seria enganar, porque Othelo não tinha motivo para o ciúme, e Donetti os tem de sobra, ainda que, de fato, *eu possa explicar*; talvez ela pudesse responder de uma vez, a faca no coração, com coragem: — *Você tem razão em sentir ciúme, Donetti. Estou me afastando de você*, mas a simples ideia de romper aqui e agora disparou seu coração, um novo fio de suor na testa, o choque do medo, o rosto vermelho, *eu sempre fui uma sensitiva, os sentimentos batem em mim com fúria, quebram minha autoestima, os sentimentos queimam minha vontade, é grave, doutor?!* Bernadete vai rir e vai perguntar em seguida, pondo a mão no meu braço, aquele jeito atento e sério dela: *E afinal você rompeu com ele?* A voz soturna:

— Precisamos conversar.

— Sim! — ele exultou imediatamente, justo para não ouvi-la. — Vou segunda-feira para Curitiba e a gente —

— Não! — ela gritou, surpresa consigo mesma, com seu tom agressivo. Outro fio de suor desceu pela testa. *A liberdade: a gente sente quando ela falta, não de fora pra dentro, mas de dentro pra fora — isto é, eu mesma me escravizo.* — Eu preciso terminar essa tradução. Se você vier para cá... bem, você sabe. — Mas nenhum dos dois riu do que deveria ser engraçado, o que ele sabe: sexo. — E quinta-feira vou ver o cara da FIFA.

O cara da FIFA — isso foi covardia minha, Bernadete. Desfazendo do grande Erik Höwes, só para não melindrar o Donetti. Para não melindrar, fez a contraproposta:

— Eu vou ver você em São Paulo.

Você trabalha com quê, ele perguntou, a voz gentil. Ela prosseguia olhando o mar, levemente inclinada sobre a mureta de apoio, e por um momento imaginou como ele a via de onde estava, e um sopro de ansiedade acompanhou a ideia de que suas pernas eram demasiadamente brancas, o que talvez ele não percebesse nas sombras da noite. Ela se virou para ele, um pé sobre o outro, braços firmes esticados no parapeito, um modo de proteger-se, segure-se bem, e uma lufada de vento jogou seus cabelos no rosto. *Trabalho com textos. Sou frila. Revisão de teses, algumas traduções, que provavelmente serão meu principal trabalho futuro. Também dou aulas*, eu poderia acrescentar, mas uma pontada de timidez desviou seus olhos dos dele, tranquilamente atentos. *Tenho a maior admiração por quem domina línguas*, ele disse. *Jamais consegui sair do "the pencil is on the table"*, e eles riram, e Beatriz riu agora, de novo. *E isso me faz falta. Talvez eu precise de aulas suas.* O jeito dele foi engraçado. Ele também desviou os olhos, e nas linhas da sombra eu poderia sentir que alguma coisa se *instaurou* entre nós. *Instaurar* seria a palavra certa? *O Iluminismo estabeleceu* [instaurou??], *a duras penas, o primado da razão humana como uma âncora universal, ainda que, é claro, sob uma perspectiva etnocêntrica, mas a semente do princípio igualitário sem fronteiras estava lançada — a ponto de (e isso é surpreendente na nação que mergulharia no caso Dreyfus e em outras trevas subsequentes) reconhecer juridicamente os judeus como iguais; ao mesmo tempo, fez do nacionalismo uma religião. La paradoja de la Ilustración —*

— Você vem para São Paulo?! Quando?

— O paradoxo do Iluminismo. Um belo título para um capítulo de livro. — Ele já conhece minha maneira tortuosa de mudar de assunto, alguém que gentilmente, com leveza, move-se sutil para o lado, um breve gesto de dança, uma curva da cintura, e o touro passa bufando direto e se esborracha adiante, cego de desejos, e Beatriz admirou a imagem, isso dava um poema, ela sonhou. — Quando? Assim que eu terminar esse trabalho.

— Qual trabalho? O da FIFA? O dos 30 dinheiros?

Filho da puta. Se eu já não conhecesse ele, Bernadete. O desejo é cego — não, isto é apenas um lugar-comum. O desejo sempre soube exatamente o que quer. Ele só fecha os olhos para nada atrapalhar o instinto, que se lança, agora sim, cegamente — e a imagem do touro voltou. Ela estendeu o braço e aceitou o vinho que ele oferecia ao mesmo tempo em que, com a outra mão, ajeitava a cadeira ao seu lado, um gesto simples, meramente cordial. *Sente aqui*, ele disse, já sem olhar para ela, perdido no horizonte e no som do mar. Ele *assumiu a iniciativa*, como se diz no jogo de xadrez, explicava Chaves em São Paulo — o lance que sai da defesa e indica a intenção do ataque e põe o adversário em guarda, e tudo girava em torno da ideia da política como um jogo de xadrez, um símile velhíssimo que entediava Donetti, o bocejo ostensivo à mesa da Figueira, *a oposição precisa assumir a iniciativa, e em toda parte do país este torpor, essa calmaria estranha, isso vai explodir, talvez durante a Copa.* Beatriz pensou em perguntar, olhos no mar: *Como é a vida de casado?* — e voltou a sorrir, *o paradoxo do Iluminismo.* Eu jamais faria uma pergunta dessas, Bernadete. A interdição feminina; o grau de intimidade; a intenção; o ambiente; o momento; o lapso — tudo na balança mental ao mesmo tempo. Por que *interdição*, Beatriz? — talvez Bernadete pergunte. Se fosse dele a pergunta — *Como é a vida de casada?* — seria diferente? Ora, homem ou mulher, nós não nos conhecíamos. A civilização prevê o que se pode dizer nesses casos — e as duas riram alto. *Isso não pode. A não ser, é claro, que a intenção — aquele pequeno passo sem volta que às vezes se dá em direção de alguém.*

— Eu entendi o teu silêncio, Beatriz. Desculpe as 30 moedas. Eu falo muita besteira. Era para ser só uma brincadeira. Pare de digitar um minuto. Estou ouvindo esse tic-tac do teclado.

Não era rispidez; apenas um pedido normal de duas pessoas casadas há muitos anos, as palavras já não têm surpresa ou agressão, nem mesmo algum afeto narcísico, de se fazer ver — a máquina tranquila do dia a dia, mesmo a quatrocentos quilômetros daqui, passando o rodo sobre as horas (estou poeta hoje, Bernadete). Ela ouviu o suspiro de Donetti lá de São Paulo.

— Tudo bem. Mais uma vez: me desculpe. Vou deixar você trabalhar. Mas posso te mandar pelo menos uma página do texto? Eu preciso de você.

O paradoxo do Iluminismo é justamente postular um homem universal e sem fronteiras, desenhado pela Razão, um ser não contingente que servirá de medida para definir o que se entende por humanidade, um molde [plantilla - modelo??] a partir do qual nossa condição funda-se na vida cotidiana; e, ao mesmo tempo, já no território puramente político, contaminado do impulso romântico-filosófico que viria em seguida para dar liberdade completa àquele velho ser teológico que ainda se arrastava desde a Idade Média, criava a mitologia nacional, esta novidade napoleônica, por si só a negação da transcendência humana que lhe dera origem. Em suma: ca-

beça globalizada e pés enterrados na lama da província, um Jano torcido sobre si mesmo. Frases muito longas, ela lamentou — seria traição de tradutor colocar alguns pontos no meio? E Napoleão inventou o nacionalismo?! Colocar uma nota de rodapé em "Jano"? Os leitores são idiotas, dizia Donetti sempre que esbarrava em uma crítica negativa. Estou me antecipando: tocar em frente. E depois perguntar ao Chaves, o que, por uma associação absurda, deixou-a no meio da reunião do condomínio, as chaves dos armários da garagem — roubaram o capacete de alguém. No gesto mínimo do mouse de voltar algumas páginas no word — há um outro momento em que ele fala de Napoleão —, o telefone despencou de seu equilíbrio incerto entre a dobra do roupão sobre a escápula (ou clavícula?) e a orelha ainda úmida — ela explicaria ao Donetti, buscando a exata definição do momento — e principalmente pela pontada de torcicolo, o músculo espichando-se no lado direito do pescoço para fechar a incerta tenaz do lado esquerdo (e ele daria risada daquela precisão cirúrgica, Donetti é um dos últimos escritores descritivos do mundo, mas quando eu disse isso, como um elogio, ele ficou furioso), o telefone despencou e foi ao chão, abrindo-se em dois, a pequena bateria voando de seu encaixe e desaparecendo de vista. Silêncio.

— Problema resolvido.

E Beatriz olhou para a porta da sala, como se no mesmo instante Donetti tocasse a campainha para prosseguir ao vivo a conversa, e da ideia da porta ela estendeu a mão ao envelope ainda fechado, que preguiçosamente, mais uma vez, olhou contra a luz, pensando longe e apreciando o peso do silêncio. *O silêncio humano,* ela teria de detalhar, ouvindo do oitavo pavimento do prédio o sussurro impreciso da cidade às dez da manhã, às vezes uma pequena vibração no alumínio da janela por um ônibus sacolejante lá embaixo, mas não há vozes, apenas sons de fundo que não exigem resposta, o concerto monótono de pneus distantes no asfalto, o que sempre relaxa. Para quem não pode ouvir o barulho da chuva no telhado, o ruído abafado da cidade não é tão mau, ela poderia dizer; se você só tem limão, faça uma limonada, disse diante dela, mais uma vez, o rosto sorridente de sua avó racista, deixando escapar *esses negros* sobre algum fato qualquer, uma dura percepção de criança que minou para sempre o afeto familiar, felizmente contrabalançado pela civilização dos pais, *a geração dos anos 1950*, ela explicava ao Chaves, e ele complementou, *eu entendo, comigo aconteceu o mesmo, viemos da mesma fôrma, que agora está tentando forjar o Paraíso não na Terra, mas no Partido dos Trabalhadores, o que é mais prático*, ele acrescentou e ambos riram da imagem, no exato instante em que Donetti chegava, o jeito chucro, orgulhoso e ao mesmo tempo dúctil, a perpétua crise na alma, e estendia a mão ao Chaves: *Divertida, a conversa?* — três palavras e uma atmosfera instantânea.

Beatriz voltou os olhos para o telefone destripado no chão, e deixou-o lá, lembrando-se do celular desligado na gaveta do quarto, *o talismã do silêncio*, ela poderia dizer, o que soou quase como o título de um poema narrativo antigo, talvez uma história para crianças, *você já pensou em escrever para crianças?*, Chaves perguntou ao Donetti, que se encolheu abrupto como uma sensitiva, conferindo os preços absurdos do cardápio, *Veja isso, 105 reais por um bife com batatas estufadas, aquelas de vento, esse pessoal enlouqueceu?!*, mas Beatriz percebeu que a pergunta, de fato, se dirigia a ela, embora não ostensivamente — *uma indireta*, talvez. Falamos todos por indiretas, disse alguém — o antigo amigo do Donetti, que lhe levou a primeira mulher (e o modo como Beatriz definiu este amigo a si mesma, esta secura objetiva, com um toque ofensivo, *que lhe levou a primeira mulher*, já era sinal de corte e distância de seu Donetti; há uma semana, não pensaria nesses termos. Diria: aquele sujeito, o cara com quem ele brigou, com um sutil esgar de desprezo na voz). O talismã do silêncio — Beatriz olhou para o teto, imaginando a primeira frase do livro, *Era uma vez*, o mantra clássico das histórias infantis. Um menino passeando (Não: brincando. Crianças não passeiam — *passear* é coisa de velho, vocês não acham? — Beatriz imaginou um diálogo animado), um garoto brincando na praia e encontrando uma pequena pedra. Não: um *seixo*. Não. Uma pedrinha. Ou quem sabe *seixo* mesmo? O toque diferente, *antigo*, já no nome. E ela brilha, é claro, ou o menino não a teria visto. Ele pega a estranha pedrinha nas mãos e, imediatamente, o mundo silencia. As ondas do mar continuam explodindo nas pedras (não é exatamente praia, ela corrige; é uma costa abrupta de rochas — na verdade, ele está numa ilha), as ondas estouram num leque impressionante de espuma branca, mas agora em absurdo silêncio, como um track de áudio que se zera, e Beatriz fechou os olhos: uma imagem digital demais, câmara lenta de cinema — o peso do lugar-comum. Voltar no tempo, ou sair do tempo: *O talismã do silêncio* será uma fantasia *dos velhos tempos. Os velhos tempos*, e Beatriz, olhos no teto, cabeça para trás, sente-se invadida por um cansaço emocional que se espraia dos dedos dos pés à raiz dos cabelos

— e num gesto brusco ela segurou a torre de toalha antes que caísse, acordando do *talismã do silêncio*. Vou ter de tomar outro banho, ela decidiu, percebendo-se inteira suada sob o roupão — o fator Donetti. A tensão do rompimento. Tensão sem tesão, e seus dedos desceram dos seios à barriga, sentindo a umidade pegajosa da pele. Não é ainda o calorão da menopausa, assim em torno dos 35, e ela sorriu do jeito de Bernadete: *eu vivo com calorões*. Abrir a janela, Beatriz planejou, vendo a fatia oblíqua de sol começando enfim a cortar a parede em frente — vai ser um dia bonito. Eu poderia criar um relógio dos meses, só pelo ponto de origem em que sol aparece de repente nas manhãs — vai se deslocando da direita para a esquerda. Resistiu mais uma vez a levantar-se: trabalhar mais um pouco, aproveitar este silêncio. *A virada linguística da filosofia moderna colocou todo o peso de sua ordenação — da fundação terrena básica às nuvens mais altas* [cielos??] *do pensamento — nas costas da linguagem. E, sendo ela o que é, na melhor tradição logocêntrica unilateral de um único observador, que cria, escolhe e distribui as cartas do sentido, e deste jogo desenha o mundo supostamente real, resulta que tudo é falso; o que antes se entendia apenas como uma fábula moral do comportamento humano, uma metáfora da vida, passou a ser a* [se converteu na??] *impossibilidade radical de se chegar ao real, enredados que estamos para sempre no véu maléfico e insolúvel da linguagem. Jaq Jacques Der Jacques Derrida, talvez o melhor, mais denso e mais completo feiticeiro da sofística contemporânea* — e subitamente Beatriz lembrou-se da FIFA: eles vão me telefonar para os detalhes do encontro, e sem telefone, eu — e ela desceu ao chão, de quatro, atrás da bateria e do telefone destroçado. Esticou o braço debaixo da mesa até alcançar a bateria encostada ao rodapé, onde sentiu nos dedos a poeira em cachos ralos presa nas teias sutis de aranhas em meio aos cabos entrelaçados de telefone, TV a cabo, impressora, computador, carregador de celular, aquele improviso de tomadas, benjamins e fios enroscados, essa sujeirada, a Lu nunca varreu isso aqui? *A senhora devia consertar o aspirador, que pifou.* E a torre de toalha caiu, soltando os cabelos ainda úmidos, a cabeça próxima ao chão, o que lhe aumentou a sensação de sujeira, o braço no pó apoiando o corpo, cadê a merda da tampinha da bateria? — ao se virar, bateu a cabeça na lateral das gavetas e engatinhou para trás, sentindo agora no joelho a dureza súbita do plástico marcando a pele, está aqui, e engatinhou até o aparelho aberto de barriga para cima, tomara que não tenha quebrado nada na queda. Sentou-se no chão, feito criança, e conferiu: uma pequena rachadura na base do telefone, mas nada grave — colocou a bateria, obedecendo aos sinais de mais e menos — nunca fui boa nisso, Bernadete, sou distraída, já queimei um secador de cabelo numa tomada de 220 volts — e encaixou a tampinha, clac! Apertou o *on* e a luzinha acendeu — ela ficou olhando para o telefone, como a um oráculo: o Donetti vai ligar de novo?

Olhou para si mesma sentada, o roupão solto e agora sujo, como as mãos e os braços, a toalha solta no chão, vou ter mesmo de tomar banho de novo, é ruim essa sensação de pó nos dedos e na pele, mas sentiu-se repentinamente animada, como uma vida que recomeça, fim de Donetti, telefone consertado, o *affair* da praia resolvido na alma com um ano de atraso (resolvido?), tradução quase encerrada, e de algum lugar no espaço veio uma música abafada — *a oni-presente música popular contemporânea realiza o espírito de perpétua exaltação histérica da vida que lhe esvazia com-pletamente* [por completo?? ev. rima] *a dimensão de trans-cendência, além de abastardar a alma da poesia até a mais lancinante mediocridade, num movimento de destruição si-multânea da própria arte musical e da literatura poética; o seu gesto contemporâneo por excelência é o esmagamento do silêncio que está na essência da simples ideia de música, o seu pressuposto, a sua base fundamentalmente religiosa, o respeito ao silêncio que,* vale decir, *movia cada nota de Bach. Por su naturaleza íntima, la música respira el silencio.*

O silêncio é a nêmesis da vida contemporânea, alguém disse, imaginando os silêncios abissais das noites da Idade Média, ela lembrou, misturando uma observação de Chaves sob a figueira, uma gritaria feliz numa mesa próxima pouco antes de Donetti chegar, com uma página lida há dois anos sobre a vida medieval cotidiana, o medo da morte como mo-tor da vida. Ainda sentada no chão, Beatriz conferiu no tele-fone remontado: nenhum sinal de que alguém houvesse liga-do nos últimos quinze minutos, mas suspeitou de que, sem bateria, o aparelho recomeça do zero, e sentiu mais um fio de aflição, à espera da FIFA, e sorriu da ideia: Paulo, não li-gue agora que eu estou à espera da FIFA. Um envelope cheio de dólares, as 30 moedas, para ciceronear Herr Höwes, o bávaro gordo. Hora de levantar e retomar a vida.

Beatriz testou o resultado de seus exercícios de alonga-mento — pernas cruzadas no chão, braços estendidos, er-gueu-se como *uma mola que levita,* não, não é uma boa imagem, *uma pequena ninja,* e ela riu, *aqui estou eu, lutan-*

do contra a queda, equilibradíssima fiquei em pé, e sem ajuda das mãos, e colocou o telefone na mesa, pegando em seguida o esquecido envelope branco, que agora abriu num rasgo simples, pensando longe. Dali saiu a folha vincada em dois pontos, que ela desdobrou — na faixa do meio, caprichosamente colada letra a letra, cada uma delas recortada a tesoura de um papel, um formato e uma fonte diferentes, como nas cartas de sequestro, Beatriz leu a mensagem:

Eu te AMo

2

Há tempos não passava a noite fora de casa, pelo menos por essa razão — melhor sair daqui de mansinho, um resíduo indefinível de prazer, frustração e culpa (desta vez, tudo parecia indicar que seria mais prazer que culpa, é verdade, mas a inesperada — um minuto atrás — e aguda sensação de *falta*, ou *ausência*, ou a simples *realidade desabando* na imagem iluminada em um segundo), e ela assumiu a decisão bruta — sair daqui — que acabou se arrastando, o chuveiro barulhento e a porta aberta, como quem ainda espera uma ridícula *explicação*, talvez ele acorde com o ruído da água, *enquanto a melancolia descia sobre a minha alma*, ela recitou silenciosamente, reentrando no corredor de seu prédio apenas na manhã de segunda-feira, como quem chega de uma longa viagem. Quando percebeu que ficariam juntos, depois da primeira noite, saiu também de mansinho enquanto ele dormia feliz, mas o astral era completamente outro — *volto já, dizia o bilhete no papel timbrado do hotel, com o bonequinho sorrindo em três traços engraçados* —, e foi não para casa, mas para o Shopping Curitiba, num irresistível surto transgressivo-consumista, alguém *livre* (e Bernadete sorriu da imagem, *só você mesmo, consumo e liberdade!*), de onde voltou duas horas depois diretamente ao hotel com quatro sacolas de roupas novas (não quis ir em casa, temendo quebrar o... *encantamento*, ela concedeu, autoirônica, preferi este simulacro de vida comum na assepsia do hotel, uma estrangeira novata a poucas quadras de sua própria casa, com um sentimento meio grogue de felicidade, até pelo prazer miúdo mas intenso das compras); agora, voltava para casa como quem *escapa por um triz de um desvio*, ela fantasiou, já quase tranquila: um espírito, enfim — *esqueça, Beatriz; relaxe —*, de liberdade, e voltar para o seu espaço era como *retomar as rédeas da vida*, a vida é um cavalo louco, e ela sorriu como essas crianças que brincam falando em voz alta. O sexo, quando acontece assim (o que comigo nunca foi muito frequente, para medir com justiça as coisas), é um tranquilizante maravilhoso, ele avança do corpo para a alma e ali se esparrama. Mas não conte com muito mais do que isso. Parece o efeito fátuo de uma droga, embora não seja — há de fato uma pessoa ao lado, que nos dá sentido. Com sorte, o sentimento se prolonga por bastante tempo e nos banha de uma ilusão luminosa: somos felizes. Desta vez, nenhum desejo de contar nada a ninguém, um projeto destinado ao fracasso: o início da maturidade, talvez, *eu acho que ficaria louca se não pudesse conversar com as pessoas*, disse-lhe Bernadete — parece que só conversando as coisas provam que existiram de fato, e é preciso fixá-las, porque o tempo vai arrastando-as para trás de modo que em poucos dias, meses ou anos as coisas tão sólidas à palma da mão, brutas, inteiras, vão ficando pequenas no retrovisor, viram farelo e somem para sempre, e ficamos apenas com o sopro volúvel da memória. *Hoje parece que não é mais o suicídio a única questão relevante que a filosofia tem de responder, como queria Albert Cami Camus, mas o tempo; o que significa que, mais uma vez, a filosofia deslocou-se perigosamente* [arriscadamente??] *da esfera moral para a esfera científica, exatamente no momento em que a palavra se relativiza e não nos diz, ou não quer dizer, por medo, política, covardia ou hábito, mais nada. Se os sábios abdicam de uma escala de valores, os idiotas se aferram a ela, furiosamente* [furiosos??], *e pelo lado ruim da escala — o campo ficou aberto.* Você tirou minha escada, disse-lhe Donetti no dia do rompimento, quando ela, só por ouvir de novo a voz dele, se arrependeu de ter devolvido a bateria ao telefone (mas eu não podia perder o chamado da FIFA); e, antes que ele completasse a graça com o seu clássico *fiquei com a brocha na mão,* Beatriz respondeu, *eu nunca fui e nem quero ser escada.* O silêncio que se seguiu teve a força de um "acabou, Paulo". O *Paulo,* em vez de *Donetti,* era sua última concessão de afeto. E ela — o gesto impensável desde sempre agora veio-lhe num impulso incontrolável — desligou o telefone. El teléfono *se transformou — e não apenas simbolicamente — no centro estruturante* [estruturador??] *da vida moderna, a agulha veloz que entrelaça a malha.* Ao contrário do que queria Wittgenstein (engraçado: na cabeça, soletrei certo, eu *vi* a palavra, vou dizer ao Chaves), o limite do meu pensamento é o limite dos meus contatos, e não da minha linguagem, que se tornou irrelevante — não, isso não foi Xaveste que disse, mas o próprio Chaves fazendo humor, quando conversaram longamente via skype, e ela deu uma risada, *Sendo assim, eu acho que não penso, porque tenho apenas quatro ou cinco nomes no meu telefone,* o que pareceu agradar ao Chaves, pelo sorriso que ele mantinha, Beatriz percebeu; convenientemente, ela deixou a câmera desativada, como sempre, de modo que ele apenas lhe ouvia a voz; mas ele, pavão como um homem, mostrava-se inteiro na tela, a clássica prateleira de livros desarrumados ao fundo, seu rosto em momentos congelando-se na lentidão da banda curta, um esgar de pixels paralisados, dentes rasgados em meio ao riso, que súbito se soltavam cinco segundos adiante, já passando a mão nos cabelos de poeta romântico, ainda que sem barba (na verdade, imberbe, um desejo de tocar aquele queixo para sentir a lisura nos dedos). E era basicamente uma conversa sobre parte da tradução que ela havia enviado sem rever, em estado bruto, criança ávida por um elogio, *claro que eu vou revisar ainda*, ela explicou no e-mail, *e é só o começo*, mas a sub-razão secreta — terá sido isso mesmo? serei eu tão dinheirista assim? — era não perder o prazo para o pagamento das laudas ainda naquele mês, conforme o acordo prévio, e Bernadete certamente acharia graça, se eu lhe contasse: e então ele tomou a iniciativa, *vamos conversar pelo skype?*, isso depois de derramar elogios — lendo por alto, já deu para perceber que você captou em português exatamente o *tom* do Xaveste, os volteios retóricos que são a alma do texto dele, parabéns! — e eu estava, ela teria de confessar, ao mesmo tempo vulnerável (é sempre uma violência a suspensão de uma amizade, a quebra de uma paixão mútua, uma vida parcialmente em comum que se rompe, o inchaço do vazio repentino, *a escada que súbito falta, um subindo sobre o outro, lagartos*) e feliz (eu estou *livre*, este puro sentimento, a vida recomeça agora, *eu posso fazer o que eu quiser daqui por diante*), uma felicidade que, ela também, abomina o vácuo — e, é nítido, o Chaves demonstrou genuíno interesse em mim, o tempo todo isso foi visível, aquele jeito de macho alfa de polo positivo, sorridente, contrapondo-se ao macho alfa de polo negativo, emburrado, que é o Donetti, e eu acho que naquele exato momento em que nos encontramos sob a sombra da figueira — não, Bernadete, esqueça, é só uma fantasia, e por um segundo ela lembrou a ansiedade verdadeira, quase o pânico que a invadiu ao romper com Donetti, a ideia absurda de que em poucos minutos ele bateria à porta para pedir satisfação, como num teletransporte em segundos de São Paulo a Curitiba.

Beatriz viu-se fechando a porta do hotel com delicadeza, um suave *clact* que se encerra, agora o desejo realmente sincero de não acordá-lo, *eu quero sair daqui*, depois do chuveiro barulhento — a melancolia de uma entrega que se despede. *Sou uma heroína romântica*, ela chegou a dizer a ele, uma ironia juvenil, em português. *What did you say?*, ele perguntou, levantando a cabeça, intrigado, e ela ficou quieta, simulando mistério. Você poderia recepcioná-lo no aeroporto? É que ele vai chegar bem antes das comissões técnicas de avaliação da Arena, que só devem desembarcar em Curitiba no dia 22 de março, se tudo der certo, não foi bem um desencontro de passagens, porque o trabalho do senhor Erik é outro, vinculado ao marketing, a pessoa que — e seguiu-se uma explicação detalhada que ela, aflita, descartou, *tudo bem, não se preocupe, posso sim*, Obrigada, ele fala muito mal português, e seria interessante se desde a chegada você — e a mulher pediu o número de passaporte, *mas eu sou brasileira*, Ah, sim, desculpe, hmm... aqui está o formulário, eu me atrapalhei, é a identidade e o CPF, claro. Sim, ele vai entregar o contrato de prestação de serviço a você pessoalmente, é mais prático. Se eu enviar pelo correio não vai dar tempo. Mais uma consulta, dona Beatriz — sobre o pagamento, precisamos de uma nota fiscal, ou então a senhora seria contratada como autônoma sem vínculo empregatício, o que aumenta muito o imposto, pode ser com nota? Sim, sim, ela lembra de ter dito, querendo se livrar logo daquele trâmite chato, eu consigo a nota — um dinheiro bom numa boa hora (o correspondente — com padrão FIFA, ela diria a Bernadete, hoje eu pago a conta do jantar! — a uns quinze dias de trabalho contínuo), você vai ter de acompanhá-lo de quinta a segunda-feira, disse-lhe a mulher, as despesas de táxi são por nossa conta, é claro, por favor guarde os recibos, a clássica compensação afetiva freudiana, ela lembraria mais tarde, Leonardo da Vinci fazendo cálculos mesquinhos de seus ganhos e perdas, com erros primários de soma, válvulas de escape de um suposto bloqueio sexual; o gênio desenhava cada músculo humano com perfeição absoluta, mas era constrangedoramente canhestro diante de uma vagina ou um pênis, um ato sexual, e a obsessão com trocados, dizia Freud, significava que — mas, ela lembra de ter pensado, contestadora aprendiz, interrompendo a leitura e fixando os olhos numa mancha no teto, não seria simplesmente o pudor dos tempos, a terrível sombra da Idade Média ainda a assombrá-lo? Se nos assombra ainda hoje, imagine como seria em 1500, ali bem pertinho das trevas! E Donetti riu quando ela comentou: Não basta ser um gênio da Renascença para desenhar bem um caralho: é preciso ter também a alma livre, e isso leva mais tempo que o aprendizado técnico. Que coisa feia você falar assim, ele disse, surpreendido, uma mocinha tão — e eles riram e ela largou Freud no chão e se entregou a ele. *A alma livre*, Beatriz lembrou, e a porta do elevador se abriu para o hall espelhado e luminoso do hotel e dali para a luz do sol, agora (muito provavelmente, já estou craque em *perdidas ilusões*, e Bernadete riu), agora livre sem retorno. Sentiu-se personagem de um filme, o que encaixava a melancolia momentânea daqueles passos solitários até a praça num sentido maior que só Deus, o diretor, domina.

Mr Erik Höwes, ela desenhou cuidadosamente com pincel atômico na folha A4, mas o nome restou desajeitado, inclinado para cima e fora do centro, mais à direita — eu deveria ter feito antes a lápis, pelo menos uma linha horizontal com régua —, mas vai assim mesmo, decidiu, depois de contemplar a obra duas ou três vezes; ou será que eu faço outro? Ora, eu deveria imprimir, é claro, uma coisa decente, profissional, para me postar ao lado dos motoristas enfatiotados esperando os CEOs de maleta à mão que desembarcam nos aeroportos com a estudada determinação dos VIPs do capitalismo mundial, passos firmes, maletas negras, olhares penetrantes — estou repetindo as caricaturas verbais do Donetti, ninguém se livra de alguém só pela força da vontade, as pessoas deixam rastros fundos na alma, na linguagem, nos gestos — vou arrastar até o fim da vida a sombra de Donetti. Mas que importância tem isso?, o torto Erik Höwes de pincel atômico, e Beatriz dobrou a folha duas vezes, colocando-a na bolsa e conferindo o relógio — tem tempo. Até pensei em pegar o ônibus expresso para o aeroporto, mas lembrei que a FIFA não precisa economizar o táxi, é só pegar a nota, mesmo fria, que as arenas se erguem, ela diria ao Donetti, se ainda conversasse com ele, só para atucaná-lo despertando-lhe a sombra fácil do ciúme e o misterioso desejo de espicaçar, e ressoou-lhe agora o trecho de Xaveste — *o poder da FIFA é o poder estritamente simbólico da batalha das torcidas* [aficionados?? não é a mesma coisa], *que se desdobra em poder político, assim como o poder do futebol não está no tamanho dos estádios; não foi o valor de mercado das catedrais que fez a força da Igreja — na Grécia, a melhor tragédia criou-se antes dos magníficos anfiteatros de pedra, assim como o melhor Shakespeare é o do cheiro das estrebarias, por assim dizer, antes que os palcos se fechassem nos espaços nobres com cortinas de veludo vermelho.* Esse cara é um idiota, ele diria, sem deixar claro se se trata de Erik ou de Xaveste — que merda tem a ver futebol com Shakespeare? Só mesmo a cabeça tacanha desse multiculturalismo de almanaque, essa estúpida globalização da burrice — tudo bem, calma, Donetti, o Xaveste é tudo, menos multiculturalista. — *Para o aeroporto, por favor* — e Beatriz fechou a porta do táxi vivendo a aflição antecipatória dos diálogos inexistentes que atormentavam a vida, *esta maldita imaginação*, os duplos mentais. O desejo de livrar-se do passado acomodou-se no carro, ela sorriria da ideia, até por ter errado tão completamente a previsão de quem afinal seria o misterioso homem da FIFA, o google imagem mostrando crianças desdentadas, uma japonesa com um iPhone, uma Rihanna provocativa, um gângster em preto e branco com um revólver em cada mão, um selo dos Power Rangers, Brad Pitt e uma catedral iluminada, mais um mapa de metrô, um turco de bigodes e um jovem em sépia com uma legenda em alfabeto cirílico, Erik Höwes não existe, Bernadete — por enquanto, ele era apenas um trabalho bem remunerado, e ao mesmo tempo uma discreta porta aberta para outra espécie de mundo, quem sabe trabalhar em São Paulo — e Chaves imediatamente entrou na conversa mental, *sim, é claro, por que não?*, ele vai dizer, gentil, eu posso até ver um apartamento para você aqui em Perdizes, e se você quiser, talvez ele arriscasse, eu digo, por alguns dias, você pode ficar aqui em casa mesmo enquanto... bem, eu, é vida de recém-separado, você sabe (sabe mesmo? você... e a pergunta implícita ficaria no ar) — não, é claro que ele não diria isso, e voltou-lhe quase que ao mesmo tempo o rosto de

Donetti e a noite na praia, aquela cena de um ano já tão misteriosamente antiga na sua vida, ela *aceitando* a atmosfera dúbia do encontro com o marido da amiga mesmo sabendo o risco moralmente mortal que seu oferecimento (a palavra é forte demais; não foi isso) encerrava; *a escolha moral* [elección moral — opção??] *deixou de ser escolha para o quadro mental contemporâneo, num lento processo de corrosão do conceito de responsabilidade individual que lançou suas sementes políticas já no século 18, quando a noção abstrata de Estado começava a suplantar os fantasmas imortais da tribo e da família (uma família que voltaria, em seguida, frágil, duradoura e fortíssima, como expressão típica do nascente empreendimento capitalista urbano),* y entonces —

Avançando à portaria de seu próprio prédio, Beatriz sentiu claramente, quase um sopro de aquecimento, o prazer da concha, *o eterno retorno,* o alívio da casa, uma autoironia já pacificada, o sentimento de proteção que o próprio espaço nos dá, ela explicaria a Bernadete, o prazer doméstico, talvez porque eu esteja justo vivendo, com anos de atraso, enfim, a dura passagem à vida adulta — e o "eu te amo" recortado pelo sequestrador imaginário ressurgiu, na rápida conferência dos envelopes que o porteiro lhe entregava, solícito, *guardei suas cartas,* como a mensagem cifrada assustadora e estimulante, a química da juventude quase perdida em sua vida, *quem será ele? ou ela?!* — e a ideia de que fosse uma mulher bateu-lhe repentina, buscando na imagem vaga da longa reunião de condomínio algum rosto que correspondesse à mensagem, como um jogo de caça-palavras — um *terêru,* tentou Mr Erik, ou *terrêrru,* até que tirou quase impaciente a carteira do bolso, e dali um papel dobrado, que estendeu a Beatriz como quem solicita um livro à bibliotecária, olhando-a fixo nos olhos, como se do brilho deles dependesse a sua vida, e ela leu aquilo com um sentimento abismado, "terreiro de umbanda", controlando-se para segurar o sorriso no Business Center do mezanino do hotel, para onde Mr Erik a arrastou, a maleta com documentos à mão, antes mesmo que, ainda mal desembarcado do táxi, subisse ao seu apartamento, *eu posso esperar, por favor, você acabou de chegar*, ela sugeriu, sem que ele ouvisse — ordenou mais com um gesto do que com palavras que levassem sua bagagem para cima, já atrás do *business center, where is it?, Vou precisar muito de você*, ainda em pé diante da mesa naquela sala inóspita, gelada, asséptica e vazia com quatro computadores à espera de usuários e nenhum quadro nas paredes, e tirou da maleta as cópias do contrato para que ela assinasse — ele estava, na verdade, nervoso e inseguro, ela diria, se tivesse de recapitular aquele momento de passagem; o trecho de táxi ao longo da Avenida das Torres foi tranquilo, *Curitiba é uma das melhores cidades do mundo para se viver, in Brazil certainly is the best!*, ele começou dizendo, afirmativo e sorridente, como se fosse ela a visitante e ele o guia turístico da cidade, e ela teve de morder o lábio para não contestá-lo imediatamente — a altíssima taxa de homicídios da periferia da cidade, proporcionalmente mata-se em Curitiba mais do que em São Paulo, ela poderia dizer, como é difícil controlar essa maldita autofagia curitibana — e ela concordou também com um sorriso, *yes, no doubt!*, o que criou um importante *clima positivo*, os bons executivos são sempre *positivos*, e ela sorriu intimamente da imagem, mas assim que chegaram ao hotel fino da Sete de Setembro parece que ele havia sofrido uma inesperada sobrecarga elétrica, um homem aflito por organização no momento mesmo em que desceu do táxi, *explicaram tudo a você, certo?*, e ela foi assinando o contrato de trabalho temporário sem ler, uma rubrica em cada página, esse pessoal quer tudo certinho, *medo de processo*, diria Donetti, na FIFA tudo se mede em milhões, as pessoas rezam por um errinho qualquer só para foder com o Jérôme Valcke, o dedo dele (de unha feita, brilhante, dedos de pianista, teria dito sua mãe) apontava o local exato, uma alma germânica em cada detalhe, ela inventaria, depois da bela surpresa que foi encontrá-lo no aeroporto — o bávaro gordo com que esperava esbarrar se transformava inesperadamente numa figura de jogador de futebol, um metro e oitenta, magro, o rosto de traços quase ríspidos, *de uma das estátuas da Ilha da Páscoa*, foi a imagem que lhe surgiu e que deixou de reserva, se precisasse contar a alguém, o cabelo bem cortado e a barba feita (mas sem aquela milimétrica exatidão *gay*, ela ainda diria a Bernadete, prevendo o sorriso) — e a roupa era o básico fino, uma jaqueta casual escura (*Curitiba is cold*, muito frrio, *isn't it?*), a camisa cinza, elegante, e, principalmente, nenhum relógio futurista de cinco quilos no pulso, mas o que você queria? Um assessor da FIFA não é um assessor de bicheiros, talvez dissesse Donetti, acrescentando, ele não resistiria, *embora trabalhem em áreas econômicas próximas* — e Beatriz meio ridícula com aquela folha de papel mal desenhada e mal desdobrada timidamente diante do peito aflito, a porta automática abrindo e fechando com levas de passageiros apressados e aliviados, enfim em terra firme, o seu olhar buscando gordos promissores, um deles será *Herr* Erik, até que ela ergueu a cabeça, surpreendida, e encontrou a figura afilada, imóvel e sorridente súbito a um passo dela, estendendo a mão: *Senhorra Beatrriz?! Eu sou Erik Höwes.* Ela sorriu: um homem magro e bonito, e que provavelmente se revelaria simpático, pela clareza do sorriso (nenhum exagero e nenhuma tensão) e pela mão estendida, com um jeito infantil de "vamos nessa!" ou "toque aqui!", e ela tocou — enfim, o início de uma comédia romântica, e ambas dariam uma risada gostosa, *eu tenho uma inocência deliberada, como algumas mulheres que instintivamente equilibram a leveza natural do corpo, que se oferece sutilmente à vista, com o controle das possibilidades amorosas, ou mesmo apenas sexuais (eu sei disso) imediatas ou distantes* — a retórica do Xaveste começa a me influenciar, ainda que o amor não seja a matéria dele, embora a condição feminina seja. *O movimento feminista teria começado, desde Lisístrata, como um movimento político de igualdades práticas da vida cotidiana que, séculos depois, chega à própria negação da biologia no que ela tem — se tem — de determinante da cultura. O "não se nasce mulher", de Simone de Beauvoir, pela simplificação lapidar do que está de fato em jogo e em jugo, separa definitivamente corpo e alma na consciência do Ocidente, quem sabe retomando, por um curioso oximoro teológico-filosófico, e em outros trilhos epistemológicos, a separação agostiniana entre um e outro. No limite moderno-contemporâneo, a constituição do sujeito está acima, ou é radicalmente independente, ou ainda aspira a esta independência absoluta, de suas determinações biológico-sexuais. Para Fuc Foucaut F* — e Beatriz, distraída com os envelopes que o porteiro acabava de lhe estender, sorriu intimamente lembrando Donetti e sua deliciosa encenação da vulgaridade, o sambinha na caixa de fósforos, a ginga simpática de corpo, o sorriso safado, *para transar... não precisa de filosofia... é só um* — e seguiam-se rimas chulas de órgãos sexuais numa trepada musical, *o meu pai foi sambista*, ele gostava de dizer, quase um atestado de autenticidade, ainda que todas as memórias de seu pai fossem sempre negativas, *foi dureza eu me livrar do velho. Por causa dele, até hoje eu só consigo ver você como um objeto. Polaca do cabelo liso.* Era engraçado, e eles riam. A noção de *objeto* levou-a num sopro de novo à varanda diante do mar, o momento da *quebra*, e a memória como que entalava na garganta, uma ponta aguda, semelhante, pelo estranho avesso, a uma confissão pesada de Donetti, num dos raríssimos momentos em que ele não se banhou de seu cinismo autoirônico — *ela (você não conheceu; não faça esse biquinho falso de ciúme; foi há muitos anos), ela não queria fazer sexo (na verdade, isso aconteceu duas vezes, com duas mulheres diferentes, em tempos próximos — acho que eu estava com uma síndrome terrível de rejeição e precisava forçar a barra para me sentir devolvido enfim ao mundo dos afetos verdadeiros, como um adolescente psicopata* — Donetti adora o autoexagero, Bernadete), *porque se tratava de uma traição física, que, quando enfim acontece, é uma barreira enorme que se derruba. A traição psicológica já existia de fato nos dois casos, apenas por conversar amorosamente, por colocar em jogo, e era mesmo uma espécie de jogo, um teste de possibilidades, uma espécie de "por que não?" existencial; no primeiro caso, eu era o homem casado, digamos assim; no segundo, era ela a mulher casada. Mas você quer mesmo ouvir o que aconteceu?* — e eu sinceramente pensei, *talvez não,* sem no entanto dizer, mantendo o silêncio, o medo e o olhar na mancha do teto, temendo o que ele iria falar, a mancha se espalhando.

— Ah, e chegou um sedex pra senhora.

Eu odeio esse *senhora,* isso não consegui vencer ainda, e também não faz sentido eu sugerir ao porteiro que ele me chame de *você, a consciência do próprio papel social é um traço profundamente estabilizador na vida comunitária, que as utopias cristã-jacobino-marxistas* [cf. plural], *em momentos históricos diferentes, transformaram mentirosamente em nêmesis para melhor manipular* [manejar; usar??] *homens à deriva, forjando o imaginário "novo homem", na atraente esfera do inferno além do bem e do mal, o mundo do Estado perfeito. Das fogueiras piedosas de Thomas More aos fuzilamentos sumários de Fidel Castro* — e Beatriz pegou o envelope grande e amassado sem conferir, ou temendo conferir — o resto eram contas a pagar, um dia só fora de casa e as contas desabam. *O fascínio do estrangeiro,* ela pensou, como um estalo, uma única expressão que parecia cobrir toda a experiência de sua vida e de seu entorno — sobre isso, Xaveste não diz nada. Donetti, mulato, era o *estrangeiro,* não o escritor — então é verdade a história de que mulheres brancas sentem uma atração demoníaca por homens negros, sabidamente de pau grande? — e as duas riram do ridículo. *Não, é mais simples: homens e mulheres sentem* atração — *pense simplesmente nisso:* atração — *uns pelos outros.* Isso é cultural? *Não; mas os modos e os objetos da atração são culturais,* alguém disse na roda. E outro acrescentou: é por isso que — e todos riram de novo de alguma coisa que ela esqueceu. Bernadete, que tem uma longínqua mas nítida ascendência árabe, já completamente diluída no Brasil, carrega a mesma cor do Paulo, ela uma vez comparou — o que, de fato, Erik Höwes estaria buscando num terreiro de umbanda? Talvez ele pensasse que Curitiba ficava na Bahia, o que seria engraçado — *mas no Brasil,* ele perguntou ao jantar, largando os talheres, sério — *não é tudo misturado?,* e fez um gesto de liquidificador com os dedos da mão, Beatriz contou, rindo. Sim, mas, também como costuma acontecer no Brasil, é tudo *mais ou menos* misturado, ou só até um ponto. Havia uma graça no método de Erik Höwes, ela percebeu imediatamente, quase um jeito de mestre-escola, *vamos fazer tudo direitinho, deixar tudo resolvido, e em seguida vamos nos divertir!*, e Beatriz pensou, *eu gostaria de ter um emprego assim, viajar o tempo todo.* Ela assinou o contrato, *quatro cópias de idêntico teor*, que ele foi colocando uma sobre a outra, deixando a última para a própria Beatriz, *esta é a sua cópia*, e então ajeitou-as vertical-mente dando pancadinhas na mesa, devolvendo-as em segui-da para sua maleta de couro negro com dois *clacts* para abrir e para fechar, um suspiro, e finalmente fixou os olhos na sua intérprete, com um sorriso engraçado. *Ele era uma pessoa suavemente engraçada — isso seduz.* Para quem desembar-cava da ironia sempre aguda de Donetti, aquilo parecia uma volta à infância, o prazer da convivência, quase uma ami-zade fraterna (o que seria, é claro, sexualmente mortal, e ambas riram), apenas *quase*, ali na fronteira. *Era!?* Beatriz manteria um breve silêncio, não de dúvida, apenas distraído, como quem espicha a lembrança antes de voltar ao chão: *Sim, sim! Acabou.* Mas entenda, por favor: tudo isso é só a minha cabeça.

Ele colocou as mãos na mesa, e sorriu, como quem diz: esta parte chata está encerrada:

— Eu vou subir e tomar um banho rápido — e ele olhou o relógio — e então podemos ir na *Arrena da Baxada* — ele arriscou num português sorridente — para um encon-tro rápido com — e ele se apalpou atrás de um nome, que achou no bolso interno, um coordenador de alguma coisa a quem ele deveria entregar pessoalmente alguns documentos, e Beatriz se angustiou na dúvida se tinha entendido certo o título do homem — e então podemos ir almoçar e você me conta tudo de Curitiba. *Thank you, thank you so much* — e *Herr* Erik fez três reverências simpáticas andando para trás como se fosse japonês e não alemão — *just a minute and I will be back* —, desaparecendo no corredor e deixando-a só naquela sala nua e gelada.

Algumas imagens da vida ficam marcadas para todo o sempre muitas vezes sem nenhuma razão especial, ela pensaria mais tarde, lembrando exatamente daquela sala vazia que era quase uma saleta de interrogatório policial dos seriados de TV, faltando apenas a parede-espelho, de onde outros a veriam em segredo, vasculhando contradições sutis de seus pensamentos. *Preciso consultar Bernadete*, ela decidiu, *ela entende de umbanda*, percebendo que mais uma vez, ao abrir a bolsa, estava com o celular quase descarregado — você é alguém que não quer se comunicar, disse-lhe Donetti, por isso esquece do celular na gaveta, é a única pessoa do mundo que eu conheço que guarda o celular dentro de uma gaveta — enquanto ele, curiosamente, era cada vez mais tão cioso de suas mensagens e de seus contatos, o medo secreto de que, de repente, ninguém mais no mundo ligasse para ele, o tempo todo conferindo a telinha atrás de alguma palavra mágica que o arrancasse de seu mundo, ela disse rindo (evitando dizer *de seu pequeno mundo*, o que seria ofensivo), e ainda acrescentou, *se eu tenho você, por que quereria me comunicar com mais alguém?*, e ele riu do "quereria" farsesco que Beatriz usou, para esconder que de fato ela o tinha atingido com a sugestão da *palavra mágica*, o que você quis dizer com isso? Nada: apenas que amo você. Não é o suficiente? Não, nunca seria. É por isso que você se engraçou com o pai da sua amiga? — ele poderia dizer, se soubesse, e Beatriz sentiu um frio agudo na alma pela simples lembrança. *Foi uma mensagem que enviei a mim mesma*, ela poderia responder: quando as coisas se explicam, elas ficam mais leves — *a lei da gravidade moral*, e Beatriz sorriu da expressão: escrever uma fábula moral para crianças com este tema, o encontro de Isaac Newton com São Tomás de Aquino (eis uma expressão típica da ironia de Donetti que eu absorvi pela convivência), que enviarei para Chaves junto com *O talismã do silêncio. Eu não quero mais falar disso.*

Estávamos com nossas cabeças muito próximas, quase que por acaso, sentindo a brisa do mar — há uma distância intuitivo-regulamentar que deve ser mantida entre as cabeças, ou as pessoas perdem a cabeça (ela tentou fazer graça). Mas não podia esquecer, a imagem de si mesma avançando em direção a ele, voltava-lhe a martelar a memória — como todas as pessoas, vivo surtos de transgressão moral; eu poderia dizer que eu *sofro* de transgressão moral, *em legítima defesa*, o que seria politicamente mais correto — *a passagem discreta* [sutil??] *da responsabilidade pessoal para a justificação sociopolítica universal e perpétua é uma das chaves do pensamento utópico totalitário; se a determinação da nossa responsabilidade se encontra fora dos limites da constituição do sujeito, o indivíduo se transforma numa entidade descartável, principalmente para si mesmo* [para ele mesmo??], que é a porta aberta da barbárie contemporânea, ela acrescentou mentalmente, uma frase que não está em Xaveste mas que Beatriz ouviu em algum lugar e que parecia se encaixar ali, como se a linguagem falasse sozinha. Desejou que esses quatro dias de trabalho voassem rápidos, terminassem de uma vez, ela recebesse seu dinheiro bom e honesto —

e então ligaria para Chaves como quem vai passar a vida a limpo, sugerindo um encontro ou em São Paulo, ou em Curitiba — *tem um restaurante ótimo na rua Itupava, eu queria te levar lá* — para apresentar seus projetos de literatura infantojuvenil e suas fantasias poéticas e isso como que reergueu a autoestima tão sufocada pelo peso de Donetti e seu pessimismo *antológico e ontológico*, e Beatriz mais uma vez sorriu intimamente, *o meu humor é o humor do Donetti, as pessoas pegam e absorvem, na alma, no jeito e no gesto, o espírito das outras, como vírus de comportamento.* A diferença é que eu sou alguém de substância alegre, um sentimento inacessível ao Donetti; ele é alguém definitivamente condenado à prisão perpétua de si mesmo, uma imagem que lhe voltou, dois dias depois, no terreiro de umbanda a que ela acabou levando Erik, seguindo as precisas indicações da especialista Bernadete. *Mas por que diabo um alemão batata vai querer frequentar um terreiro de umbanda em Curitiba?!*, divertiu-se a amiga, imediatamente animada com a ideia. Não sei — é pesquisa, algo assim, talvez uma pesquisa clandestina, porque ele misteriosamente baixava a voz, ardido pela curiosidade: *na missa da umbanda, as almas dos mortos descem e são incorporadas pelos vivos, que então se comportam como os mortos quando vivos?*, ele perguntou, no primeiro jantar, aparentemente sem ironia (os alemães dificilmente são irônicos, alguém uma vez lhe disse, fazendo humor: eles falam tudo diretamente, letra por letra, na tampa e na lata; três pitadas de ironia na cultura popular alemã e Hitler não teria acontecido, alguém acrescentou, rindo da ideia) e ela desconfiou que a palavra *missa* não seria exatamente justa para definir os encontros de umbanda, mas não tinha certeza, *eu preciso me informar*, ela justificou (de qualquer forma, como traduzir "gira"? — tudo bem, *culto*, mas não é a mesma coisa). Ela estava ainda tensa no primeiro dia, não como intérprete — o inglês se acertou já no aeroporto sem dificuldade, e a simpatia dele ajudava muito, *alguém feliz*, ela poderia definir — também! alto, magro, rico, solteiro, com pinta de artista de cinema, o mundo pela frente! quem não seria feliz?!, disse-lhe Bernadete, e ambas caíram na risada, e Beatriz não chegou a explicar o que pensava, *solteiro* é apenas uma dedução, um homem sem aliança num universo econômico-cultural em que isso ainda faz algum sentido —, mas, acredite, eu estava *intelectualmente* interessada nele (foi assim que começou com Donetti, e veja no que deu), desde que ele me perguntou, com um suspiro de descanso, ambos já instalados no restaurante (*enfim sós*, quase que eu disse, sem duplo sentido), e ele me interrogou, o olhar atravessando a mesa quase como um professor no dia do exame:

— O que você pensa da FIFA?

Aquilo desconcertou Beatriz, que abriu um meio sorriso, *como assim?!*, eu não penso nada, não devo pensar nada, sou apenas uma intérprete, ela quase disse, alguém que recolhe uma palavra escura de um lado e leva-a com cuidado para o outro lado, agora brevemente iluminada, sob a luz trêmula da vela.

— Não sei o que dizer — ela respondeu, insegura, tateando o melhor caminho. Parecia ainda ouvir o eco tonitruante da voz de Donetti, na segunda garrafa de vinho — uma das instituições mais corruptas e corruptoras da história, com a inestimável ajuda dos rápidos dedinhos brasileiros, desde a era João Havelange, que deu o grande salto da empresa até ela se transformar nesse gigante — em breve, será concorrente da Apple, correndo por outra raia! E ela então respondeu, tímida, *mas que culpa tem a FIFA se o Brasil resolve erguer um estádio gigantesco em Cuiabá e outro em Manaus e outro em São Paulo, e outro em Fortaleza, e outro... ao custo de... de quanto mesmo?* Preços aqui não significam nada: qualquer coisa serve, é só papel, mete-se um aditivo no contrato, foda-se o país. Beatriz baixou os olhos para a mesa, e pegou o cardápio, escondendo-se nele (na verdade, sentia fome), mas achou que o gesto teria um toque indelicado; largou-o e ergueu os olhos de novo para Erik, que continuava a fitá-la, tranquilo, esperando o prosseguimento da resposta, que afinal veio (eu comecei, de fato, a sentir atração por ele naquele momento, ela pensou, recapitulando o longo dia, tentando captar o momento em que a química afetiva entrou em jogo), mas usando a técnica de *esquiva do foco*, um truque acadêmico poderoso que aprendeu com um colega engraçado no primeiro ano de Letras — jamais se inclua na questão a discutir, dizia ele, não abra a guarda:

— O Brasil tem uma relação ambivalente com a FIFA. De um lado, ela é *demonizada* [demonized?? — deu-lhe um breve branco, existe mesmo esta palavra em inglês?], pois se presta perfeitamente a todas as teorias conspiratórias do Brasil e do mundo (*e quase sempre com razão*, Donetti acrescentaria); de outro, ela é índice de tudo que é bem-feito. Veja os protestos populares que varreram o país no ano passado: "Queremos padrão FIFA na educação, na saúde, no país!" É irônico, mas com um fundo de verdade.

— *Very interesting!* — interessou-se Erik, pedindo a ela que explicasse melhor o que significa a expressão "padrão FIFA", ele dizia "padráo" — *a kind of "standard"?*, como poderia ser traduzida, o que isso mesmo significa, por que ela seria tão especialmente "positiva"? Enquanto Beatriz tentava trocar em miúdos, buscando as palavras, ele balançava a cabeça, sério — mas não severo. *Interessante, muito interessante*, ele prosseguiu balbuciando, pensando a respeito, até se iluminar com um sorriso que acabou se transformando numa risada solta: — *Well*, alguma imagem boa a FIFA há de ter!

— Certamente! — ela concordou um pouco séria demais, sim, os alemães também são irônicos, sua idiota, e segurou um *mas* que quase lhe escapava dos lábios. Desculpou-se (essa maldita mania brasileira, uma vez Donetti lhe disse, *esse autojeitinho de fazer merda e dourá-la em seguida para ficar bem na fotografia*, e a lembrança irritou-a, *eu preciso me livrar do Paulo em definitivo, da vida e da memória*) — O futebol não é a minha área, *Mr* Erik.

— Erik. Apenas Erik, *please*.

— Erik.

— *Yes*. Eu não posso ter uma apreensão da alma de Curitiba sem... *how do you Brazilians say?*, "bater o papo" normalmente.

— Bater papo!

— Sim! Bater papo! *No hierarchies!*

— OK! *No hierarchies!*

O que exatamente ele veio fazer em Curitiba, se as comissões técnicas que de fato apitam e mandam só vão chegar realmente no final de março, para dar a última bênção à conclusão da Arena? — perguntou Bernadete, mas como quem faz a si mesma esta pergunta, uma charada a ser decifrada pelas duas amigas. *Um espião?* E ambas riram da ideia. Quem sabe? A FIFA é um território de sombras, *isso é uma roubalheira só*, um vizinho indignou-se na reunião de condomínio, *nós vamos acabar pagando esta conta já em 2015*, *pode escrever*, e Beatriz lembrou da frase de Erik, ambos diante da Ópera de Arame, parte de seu roteiro curitibano, quando ela começava a perceber realmente o que ele queria, um roteirinho prosaico de improváveis pontos turísticos de uma cidade tão inapelavelmente *sem graça*, como um conterrâneo de Curitiba, deliciosamente autodepreciativo, lhe disse, pensando que ela não fosse dali. — *Interesting*, disse ele, a sério, diante da Ópera, um belo lugar. Essas linhas, um toque de *belle époque*, outro de *art déco*, pousados num ninho ecológico, que é o sopro contemporâneo, uma ideia simples, barata e boa, *para quem de fato não tem história e precisa inventá-la, o que quase sempre é a tragédia do novo Terceiro Mundo* (mas isso não foi ele que disse, e nem Xaveste, não me lembro mais, a ideia de que a urbanização acelerada em países atrasados cria uma humanidade lúmpen que se dilui sem história nem raiz), e naquele momento (isso foi no dia seguinte, um sábado ensolarado, muita gente ali tirando fotografia, *é incrível, mas há turismo em Curitiba*, eu que nasci aqui jamais poderia imaginar) percebi que Erik *não era idiota*, para dizer as coisas claramente, ele como que descolou-se da caricatura que eu insistia em criar em torno dele para me defender, ainda influência da corrosão de Donetti, e *entrou na vida real*, você percebe essa passagem?

O segredo é a linguagem — ele arranhava o espanhol (*La Ópera de Arame es hermosa*, soletrou ele, como uma criança que se exibe) e parecia disposto a aprender português, na verdade mais como um álibi para manter aceso o contato, *sim, é bonita*, nada aproxima ou afasta mais dois estrangeiros que conversam do que a deferência com as palavras, o cuidado com que elas são definidas, os volteios de sentido, os pequenos alçapões da ambiguidade. Discretamente, ele queria sair, ela percebeu, da zona meramente profissional daquele trabalho, ainda que levasse muitas horas antes de arriscar alguma pergunta de fato pessoal.

Durante quinze minutos ela aguardou na sala gelada, ainda rígida e tensa na cadeira, tentando dobrar o contrato assinado de modo a que ele coubesse na pequena bolsa, mais um passatempo que um objetivo, temendo transformar o documento numa maçaroca, o que acabou acontecendo já num início de irritação — eu não vou precisar deste contrato, é claro que eles vão me pagar de acordo — olhando no relógio, decidiu esperá-lo no hall do hotel, e não aqui nesta sala horrível, é claro que ele vai descer diretamente para a recepção. Levantou-se, mas antes de sair da sala procurou nas paredes por um espelho quase que num reflexo condicionado e acabou reabrindo a bolsa, de onde o contrato esmagado parecia respirar para escapar, desfolhando-se, e dali ela tirou com jeito o estojinho de maquiagem, que abriu com um sopro de ansiedade, temendo que *Herr* Erik retornasse exato naquele instante, e viu-se trêmula no espelhinho redondo, em closes e pedaços, os olhos, os lábios (o batom, discreto, ainda estava bem), os dentes sem manchas, o cabelo cortado em estilo chanel, que *ornou*, como lhe disse Bernadete com um sorriso, estendendo as mãos para tocá-los próximo à orelha, como quem ajeita um delicado objeto de decoração — *você fica bonita com este cabelo*, disse-lhe Donetti, quando ela mudou o corte, uma frase simples que a deixou por um bom tempo leve e feliz, *o meu nariz poderia ser mais delicado*, mas isso ela guardou para si mesma. Descendo ao hall pela escada circular, escolheu uma poltrona com vista frontal para os três elevadores, de modo a não perder *Herr* Erik assim que ele voltasse — sentiu o olhar curioso, talvez agudo demais, de um homem de terno acomodado com uma revista no sofá ao lado, como alguém que parece reconhecê-la mas não tem certeza de onde, enquanto outro, numa cadeira estofada em frente, levantou os olhos do celular para vê-la sentar-se; numa defesa tímida, Beatriz estendeu o braço para o caderno avulso de um jornal — *Depois de três mortes de operários e 600 milhões de reais, Arena da Amazônia é inaugurada com atraso* — e deslocou os olhos, como quem não quer ouvir más notícias, mas elas pareciam estar na página inteira, *o movimento Vem pra Rua convocou... o BNDES justificou a participação em 60% dos custos...* — devolvendo-o à mesinha e conferindo as horas, 16h32, *eu deveria ter ficado na saleta, ele vai voltar lá.* Depois daquele momento, a ansiedade como que evaporou-se assim que ele reapareceu com o poder do sorriso e o gesto largo, falsamente compungido, a mão batendo na testa, autoacusadora — *eu não deveria mesmo ter largado você naquela sala fria, desculpe! Não demorei, não?* —, e ela balbuciou uma desculpa por não ter ficado lá, que desencontro!, e era como se se conhecessem há meses, alguém capaz de criar intimidade quase que instantânea e fazer um carnaval por nada, *mas com um toque sincero*, este é o segredo, ela diria a Bernadete: ele não é um caloroso vendedor de carros usados, a simpatia prática e de vida curta; é a *naturalidade* que atrai, a *aura*, ela arriscou, e seguiu-se uma breve discussão sobre o conceito de *naturalidade*, porque há pessoas que se sentem atraídas por pessoas mais tensas, ou mais autoritárias, ou mais frias, ou mais distantes, como quem exige imediatamente um bom grau de distância para a admiração se instaurar, a admiração precisa de espaço e distância, e Bernadete riu, *eu sou um pouco assim*, gosto de homens mais longínquos e misteriosos, e Beatriz disse exatamente deste modo, ela relembrou com o envelope à mão diante do elevador, a frase recitada como um poema: *Eu não; eu gosto de pessoas imediatamente luminosas, que compensem a minha penumbra.* Ela não esqueceria, porque Bernadete diria "penúria?", num ato falho duplo, ou eu pronunciei errado ou ela entendeu errado, nunca saberemos. *Devíamos abrir um consultório sentimental,* e elas riram. Há algo de *Pangloss* em todo turista, e o Erik comportava-se basicamente como um turista, querendo gostar de tudo que via, *estamos no melhor dos mundos possíveis,* como alguém que precisa se certificar de que não jogou o dinheiro fora ao assinar o pacote de viagens, e Beatriz mais uma vez mordeu o lábio para não rir em público, sentindo uma onda de hilaridade, a luzinha chegando ao número 3 — às vezes não consigo parar de rir, já aconteceu isso com você? E Donetti fingiu-se ferido com uma faca enterrada no peito, o esgar na cara, estrebuchando nu sobre a cama, um cartum vivo ao avesso: *Só quando me esfaqueiam!* Atravessada de duplos sentidos, Beatriz entrou no terreiro Pai Joaquim — um pórtico circular naïf ornamentado com flores circulares e figuras que lembravam anjos desenhados por crianças — com todas as recomendações de Bernadete, *logo nesse dia eu não posso ir, que pena!* Mas eles estão sabendo, o Mário vai atender vocês, fiquem à vontade. O pessoal é muito gentil. *Mas é um espaço muito simples, não?* — admirou-se ele diante do galpão de madeira coberto com telhas enegrecidas de amianto nos limites de Curitiba, quase na saída para Almirante Tamandaré, *é a Mata Atlântica? Autêntica?*, perguntou Erik, a expressão séria e interessada, contemplando o mato que rodeava o local, um bosque denso de mato e árvores.

— A cidade acaba por aqui, explicou Beatriz, Curitiba é pequena, pagando ela mesma o táxi e guardando o recibo. *A senhora tem como voltar?*, perguntou o taxista, estendendo-lhe um cartão: *Se precisar, me telefone*, e havia como que um toque de advertência no homem, o rosto sério, *a senhora tem certeza de que vai estar segura neste terreiro?*, e ela viu balouçantes o rosário, a cruz de ouro e a pequena imagem de Nossa Senhora Aparecida pendurados como signos exorcizantes no retrovisor do táxi, *que parecia uma penteadeira de puta* — veio-lhe à cabeça a imagem de Donetti comentando um painel de um carro dois anos atrás, quando ela deu uma gargalhada feliz, Donetti sempre foi engraçado, o jeito histrião com que ele destilava seu mau humor, um homem intrinsecamente rabugento, mas que acabava por fazer disso o seu charme (ela continuava tentando entendê-lo, o que importa isso agora? — *vade retro, memória*); nesse instante, diante do taxista, a imagem pareceu-lhe misteriosamente ofensiva — tratava-se apenas de um cidadão bom, temente a Deus, preocupado com ela, e Beatriz aceitou o cartãozinho com um sorriso, *obrigada*.

— Muito, muito simples — insistia, sério, subitamente tenso, consternado, *Herr* Erik, o olhar fixo para aquela construção básica e seca diante deles, um galpão ridículo, *como alguém pode rezar aí*, ele talvez deva ter pensado, *estão me fazendo de palhaço?*, ela imaginou (mas foi ele que pediu, ela diria). Ele não conseguia se livrar do impacto da decepção, até os braços falavam, *mas é só isso?* — Eles são *pobrres*, ele arriscou a palavra em português, e em seguida cochichou em espanhol, *personas pobres, no?*, o que o padrão de luxo de quatro ou cinco carros estacionados próximo, na estradinha de terra, ela percebeu, parecia desmentir.

— Bem, não é exatamente nenhuma Catedral de Köln — ela tentou brincar, arrependendo-se em seguida; a referência lhe veio por já saber que Colônia era a cidade natal dele, mas a ligação fez um efeito imediato, pelo entusiasmo da reação:

— Ah! *Kölner Dom!* — animou-se ele, olhando para o alto, para o céu altíssimo, como quem de um estalo se livra em um segundo de um sentimento ruim, mas que lhe volta instantâneo por outra via, não estaria ofendendo-a? — Sim, *yes, ja*, balbuciou em seguida, *pardon!* Simplicidade é uma grande qualidade moral, ele recitou, confessando-se como quem desenrola um articulado silogismo filosófico: A pobreza não tem necessariamente nada a ver com ela, a simplicidade é acessível a todos — e a mão no ombro de Beatriz, *pardon*, o toque discreto dos dedos, era apenas a marca da sincera consternação, a demonstração de que ele mesmo era a prova viva de sua teoria. *O triunfo do cristianismo foi, de fato, obra do acaso histórico, mas, pela incrível capacidade narrativa imanente à condição humana — nascimento, vida e morte, inelutáveis —, acabou por criar a chave literária que faltava ao paganismo, ao instintivo realismo pagão preso à circularidade da vida natural: a teleologia, a abstração da finalidade, que nos levaria para todo o sempre, desgraçadamente dualistas, cegos ou apenas tontos, ou ao céu, ou ao inferno; e, no mundo laico, pelas vias tortas de Hegh Hel Hegel e Marq Marx, ou ao paraíso socialista ou ao horror capitalista, consolidando-se o mais poderoso e disseminado conto de fadas da cultura do Ocidente nos últimos duzentos anos.* Repetiria esse comentário de Xaveste, apenas para sair do chão em que estavam? — naquele primeiro dia, Erik me pareceu (ela diria a Bernadete) alguém *culto*, ou pelo menos alguém *imerso na cultura prévia de todo europeu*, assim como todo romano dos séculos 16 e 17, mesmo um carregador de pipas, sentia-se um crítico de arte, desfilando orgulhoso entre Berninis e Caravaggios. Há uma base cultural mínima — dizia-lhe Chaves antes de Donetti chegar à mesa da figueira — que a barbárie brasileira parece incapaz de alcançar, dominada por sua pauta política imbecil; provavelmente nem o Xaveste entenderia isso. Os europeus sabem que somos bárbaros, no sentido grotesco da palavra mesmo, mas olham para nós como se fôssemos também portadores de algum talismã primitivo capaz de, em algum momento mágico, produzir sabedoria por geração espontânea (não; ele não falou nesses termos; acho que ele falou *franceses*, e não *europeus*; eu é que estou influenciada pela tradução, é engraçado como a linguagem *pega*); eles continuam assombrados pelas promessas idílicas de Rousseau, uma vez que Jesus entrou em decadência — já a FIFA, diria Donetti, só quer é dinheiro mesmo, muito dinheiro, dinheiro como nunca se derramou antes, e ele daria sua risada clássica.

— Nenhuma instituição contemporânea no mundo — disse-lhe Erik quando entravam no restaurante — uma casa de massas no Batel que ele mesmo sugeriu, tirando um cartão do bolso, indicação de alguém de São Paulo (*ele disse que tem um molho* basilisco — a palavra que ele usou — *maravilhoso, eu adoro molhos de tomate sem cebola, a sutileza do* basilikum, *a taste so subtle!*, *"albahaca"*, *é como se diz em português?*, e ela corrigiu-o, *manjericão*, impressionada pelo seu inesperado interesse culinário), assim que terminaram um passeio rápido nas obras da Arena da Baixada, ela de capacete de operária-padrão, aquela cor laranja resplandecente (estou parecendo a Dilma visitando obras da Petrobras, Beatriz pensou em contar à Bernadete, só que bem mais magrinha, e ela sorriu da comparação ridícula enquanto contemplava a arena cinza erguendo-se sobre a memória do vermelho vivo dominante que tanto a impressionou nas duas ou três vezes em que veio ao antigo estádio do Atlético, *o meu pai era atleticano e eu, por osmose,* ela explicou a alguém que parecia especialmente interessado nela, *você foi contratada por quem mesmo?*), traduzindo cada palavra dos *puxa-sacos* (é o que o Donetti diria depois) correndo animados atrás do alemão da FIFA entre sorrisos, *yes,* sem jornalistas, por favor, ele confirmava a passos largos para acabar logo com aquilo, dia 22 os técnicos virão com certeza fazer a vistoria final, talvez com a presença de Jérôme Valcke *em pessoa!,* quando então o estádio receberá a bênção e será mesmo definitivamente confirmado como uma das sedes da maior competição de futebol do mundo, *até me arrepia,* disse alguém na roda, se é que resta ainda alguma dúvida, *a Arena já foi expressamente confirmada no mês passado,* de modo que num momento — o grupo contemplando feliz os entulhos lá embaixo onde (aparentemente por milagre, ela imaginou) se estenderia o *tapete verde da Copa,* alguém disse passando a mão no ar como um mágico criando o universo, e outro lembrou que haveria mais de 40 mil *seats, cadeiras,* o homem arriscou, fazendo uma pantomima para imitar cadeiras, como se não houvesse tradutora presente, o mesmo homem que, à despedida, receberia o grosso envelope de Erik — *clact! clact!* na maleta — com todos os detalhes do *protocolo FIFA,* as equipes da vistoria virão aí, *aquilo eram maços de dinheiro de propina, protocolo é o caralho,* diria Donetti, no último telefonema, quando ela cometeu a besteira de contar detalhes de seu trabalho, de modo a falarem o mínimo deles mesmos, *protocolo eles mandam por e-mail, como você é idiota, Beatriz*, e isso definitivamente foi o fim final término encerramento pá de cal the end *idiota é a* — foda-se aquele imbecil para todo o sempre, até a minha respiração se oprime quando lembro daquilo.

— A construção desta Arena vai quebrar a cidade e o Estado no próximo ano, pode escrever — insistia o velho Peixoto na reunião de condomínio, várias vezes candidato a vereador pelo Partido dos Aposentados, sempre derrotado. *Nada a ver*, respondeu alguém, *o financiamento é do BNDS, tudo preto no branco, uma dívida como qualquer outra*, e um terceiro lembrou que *não é bem assim, o preço vai subindo à base de alguns milhões por mês e alguém vai ter de cobrir o rombo. Orçamento que, aliás* — e ele sacudiu o dedo —, *o Tribunal de Contas já embargou várias vezes! É uma vergonha! Sem falar das greves dos operários, não estão pagando ninguém.* Um vizinho que nunca pedia a palavra resolveu falar, só para acabar com aquilo: *Que seja; eu nem sou atleticano, mas no fim de tudo Curitiba terá o único estádio com teto retrátil da América Latina. Será que isso não significa nada?! Eu acho que um pouco de...* mas — aproveitando o silêncio algo estupefato que se seguiu — o síndico resolveu acabar com aquilo e começar a reunião.

— Nenhuma instituição do mundo — Erik repetiu, agora diante da mesa, esperando ela se ajeitar na cadeira sob os cuidados do maître e os olhares discretos de um casal de fregueses vizinhos, *Erik chama a atenção naturalmente*, ela diria, *um estrangeiro é sempre inteiro estrangeiro*, de certa forma — nenhuma instituição, ele disse pela terceira vez, agora em voz mais baixa, olhos nos olhos de Beatriz (os

9 8

olhos dele são dominantemente verdes, e você sabe que eu tenho um fetiche — alguém me explicou que isso é biologia, que as fêmeas procuram machos que, etc., aquele lixo argumentativo que nos transforma em animais de laboratório, e elas riram), ambos instalados com os cardápios à mão e o maître gentil à espera (uma imagem tão completamente distinta da que eu havia imaginado, a barriga estufada, o bávaro com bigode e um caneco de cerveja, ela contou à Bernadete, e elas riram), nenhuma instituição tornou o racismo uma questão mundial a ser atacada sem tréguas como a FIFA. O futebol transformou-se, graças à FIFA, no maior *pitchman*, como se diz no Brasil? *garroto de propaganda* ("garoto-propaganda", ela corrigiu) da democracia racial do mundo inteiro, com uma eficiência publicitária inimaginável por qualquer outro meio. A mínima estupidez racista em qualquer estádio da galáxia (*Foi mesmo o que ele disse, "galáxia"?*), o mínimo gesto, palavra ou banana jogada em campo, é imediatamente reproduzida e condenada bilhões de vezes pelo mundo, exaustivamente, por todos os meios e em todas as línguas e culturas. Da Papua-Nova Guiné a Moscou, de Cidade do Cabo a Rejkjavik, passando pelo Azerbaijão, de Curitiba a Toronto, em toda parte, o racismo começou a ser de fato ostensivamente percebido como uma *vergonha*, um sentimento decididamente universal, e a FIFA teve e tem um papel extraordinário nessa conquista. Por exemplo — ele acrescentou como reforço, talvez intrigado pelo silêncio dela, que nunca havia pensado nisso, mas agora pensava —, foi a cultura racial da FIFA que transformou de fato Ballotelli num italiano — e ele sorriu de forma ambígua, *como se nem ele acreditasse nisso*, Beatriz diria a Chaves, *mas a ideia fosse uma possibilidade riquíssima a se avançar.* — Você não acha admirável o que esta globalização da tolerância representa simbolicamente?

Em seguida, talvez à espera de que ela dissesse alguma coisa — e Beatriz pensou em dizer (a minha resistência é esse espírito curitibano arredio ou apenas influência do Donetti?) *tudo bem, mas isso é razão para o Brasil construir um estádio em Cuiabá, outro em Manaus e outro pro Corinthians, que ao fim e ao cabo serão na maioria espaço para gigantescas concentrações evangélicas e marchas para Jesus no processo célere de medievalização definitiva da alma do país?* Não — é influência do Xaveste mesmo, *O futebol se tornou, na selvageria incontrolável dos países periféricos, o abrigo seguro, e até respeitável, de facções criminosas, ou puramente delinquentes, a serviço de pequenos políticos locais e setores corruptos da polícia que se alimentam do crescente lumpesinato mental das rápidas concentrações urbanas, ou então, como nos países do Leste após a queda do Muro, ideologicamente organizadas* [amparadas??], *como escudo respeitável para segregações etnorracistas e político-religiosas, num entrelaçamento de barbáries reemergentes, a triunfante ressurreição de velhas tribos em guerra. Até a (hoje) ridícula rixa de protestantes e católicos encontrou no futebol inglês seus nichos poderosos, habitados por facínoras, para bater o atraso no peito entre urros* [rugidos??] *de vitória.* — Mas Beatriz não disse nada, *sou apenas uma intérprete, minha tarefa é ouvir e traduzir, com cláusula de confidencialidade* — só balbuciou, tímida, mas deixando entrever alguma admiração (*eu queria entender a cabeça dele,* ela disse), *eu nunca havia pensado nisso.* Talvez a frase tenha sido seca demais, ela avaliou, até pela atenção ligeira que Beatriz dispensou em seguida ao cardápio, como quem foge — mas subiu os olhos de novo, para encontrar os olhos de Erik no mesmo lugar e na mesma mirada a um tempo séria e expectante, como alguém *que me avaliava*, ela contou. *Acho que começou ali.* Um homem bonito, e você sabe que a beleza move o mundo — elas riram. *O Donetti diria que é o dinheiro que move o mundo*, lembrou Bernadete. Bem, também é verdade, e quando se junta uma coisa com outra, temos um milhão de tons de cinza para viver, mas sem chicotinhos, por favor — e agora a risada se prolongou, seguida por um silêncio demorado, a memória se refazendo, e um suspiro. Talvez naquele instante — poucas horas em comum, o trecho do aeroporto à cidade, o contrato assinado, a sala fria, a espera no hall, o passeio protocolar na Arena, e de lá — livrando-se dos áulicos que ao final o convidavam para tudo, e ele desculpando-se, *cansado da viagem, obrigado, mas temos tempo adiante, fico até segunda*, expressões que ela traduzia sem necessidade e sem ênfase, uma autômata séria e profissional a repetir em português as recusas que todos já haviam entendido mesmo sem falar inglês — diretamente a este restaurante. Talvez agora ele avaliasse apenas o meu silêncio, qual a sua natureza, se havia um toque de hostilidade nele ou não, alguém que se protege atrás de um cardápio, e provavelmente concluiu que não era um silêncio hostil, apenas defensivo, talvez só simplesmente tímido, a conclusão mais óbvia — mas eu via nele, discreto, porém perfeitamente nítido, o espírito do *sedutor*, esta aura instintiva *diante da presa* que a gente percebe instantaneamente, homem ou mulher, Beatriz pensou. A arma da sedução é a sua lisonja implícita, o que desperta a esgrima do afeto, o querer e o não querer abraçados, ainda mais nesse momento da minha vida, ela confessou.

Disso o Xaveste nunca fala, o mundo dos afetos não faz parte da mecânica explicativa do mundo, e ela achou graça da ideia — o ensaio, a academia, a tese, todos assomam sempre como expressão de um entendimento neutro, transparente, *escalpelado*, arranca-se a pele para pensar, *libera nos Domine* da minha presença física e do pecado da existência, extraia-me das conclusões, tire-me daí, ó Senhor, porque tudo aponta contra mim, como uma vez Donetti brincou, e ela ficou com aquela imagem antiga em sépia, a culpa reprimida dos seminários, dos pais violentos, o eco da igreja, o cheiro do primeiro sexo e a luta por lhe dar algum sopro de grandeza. E, para quebrar o breve silêncio — o sedutor sabe que até o silêncio (ou principalmente ele) deve ser controlado e conduzido —, ele sorriu diante da momentânea seriedade dela, um jeito decididamente mais perplexo que hostil, um pequeno instante de incerteza diante do desconhecido, e talvez tenha pensado num átimo em alguma piada sobre o cardápio, mas preferiu voltar ao ponto do início, o combate ao racismo, nunca deixar uma conversa solta sem costura:

— Alguma coisa boa a FIFA deve ter, não, Beatriz? — e ela riu, enfim aliviada pelo humor, quebrou-se o protocolo, *há alguma coisa de brasileiros nos alemães*, ela disse à Bernadete, cedendo ao clichê.

— É que vocês são poderosos — Beatriz disse, largando o cardápio, o maître que esperasse. — Alguém já disse que são mais poderosos que a ONU.

Isso pareceu agradá-lo, ela percebeu o sorriso surpreso e em seguida a testa discretamente franzida, ponderando o que havia escutado.

— De certo modo, sim. E, da mesma forma que a ONU, só não temos muita relevância, ou prestígio, nos Estados

Unidos. Mas isso também vai mudar. O futebol está entrando lá pelas beiradas, principalmente pelos hispânicos. — Sorriu, abriu novamente o cardápio, como quem quer sair *dessa conversa chata de futebol* (ela imaginou ele dizendo, o que seria engraçado) — Você me acompanha no vinho?

Beatriz abriu os lábios para recusar — *Obrigada, prefiro água, por favor*, pensou em dizer —, mas acabou cedendo depois de um segundo vacilante diante da pergunta (a recusa seria grosseira, ela decidiu).

— Uma taça só, para acompanhar você. Obrigada. Eu bebo muito pouco.

Seguiu-se uma consulta ao maître, intermediada por Beatriz, que reassumiu instantânea seu papel profissional, e marcas de vinhos, países, uvas e safras — *Este chileno, carmenère, é ótimo* — foram trocadas em busca da melhor opção, *Vamos comer pasta, certo? Então o ideal seria...* ao que Beatriz insistiu que ele escolhesse livremente, *please*, fique à vontade, e ele pensava sobre as sugestões que ouvia, recusou um deles, *too expensive!*, quanto é isso em dólares?, ela ouviu ele dizer, até a FIFA tem limites nos preços dos vinhos de restaurante, e Bernadete deu uma risada; o *expensive* não dizia muito sobre a FIFA, mas dizia algo de Erik Höwes — um quebra-cabeça humano que ela tentava montar para se sentir mais segura, enquanto o interesse, na verdade insistente, pelo terreiro de umbanda parecia desconectá-lo do quadro mais ou menos coerente que se armava na cabeça dela — um ex-jogador de futebol que, pelas mãos de um amigo executivo, entra na carreira burocrática da FIFA, tornando-se parte da gigantesca equipe de marketing da empresa, e agora contempla, mal disfarçando a perplexidade, aquela construção simples — menos que simples ("simples" seria uma casa de taipa, algo como uma história, ela tentaria explicar ao Chaves, se um dia lhe contasse esta aventura), algo *improvisado* (não, ainda não é a palavra), algo *sem nenhuma personalidade própria* (talvez assim — as tábuas verticais, a cor branca, o telhado básico, quase sem queda, o assoalho de madeira), mas com toques populares na decoração, não o *kitsch*, porque ainda não há o que imitar, o máximo é o que se sabe e está à mão, como o mais puro *naïf* — mas isso de fato passaria pela cabeça dele? Ela pensava em perguntar — *Por que o seu interesse em umbanda?* —, mas não perguntava, tentando antes adivinhar, para não parecer invasiva, mesmo pressentindo que aqueles dias de dedicação total a ele como intérprete acabavam por criar uma espécie de *zona de simpatia*, pessoas que "dão liga", o que é imponderável, o contato à solta que atrai e faz sorrir, aquele giro que vai e volta e aproxima, o corredor de intimidades breves e inocentes, que abrem as boas disposições, e Beatriz, como sempre, *não adianta, eu sou assim,* mantendo um *cinturão de resistência* diante das pessoas sexualmente interessantes. — Mais ou menos como o cinturão bíblico americano? perguntou Donetti quando ela fez a confissão — aquele sul puritano que odeia a ideia de que alguém possa sentir em algum momento, por descuido, algum prazer na vida? *Não exatamente,* ela diria agora, *talvez seja mesmo uma coisa feminina, o estar permanentemente sob ameaça masculina, esse sentimento secreto, inefável, que todas em algum momento sentimos: nós somos a presa do mundo — e, num sopro sutil de ambiguidade moral, gostamos disso. Não: refazendo: apenas ambiguidade. O* moral *entrou aqui justamente pelo* cinturão de resistência *a que fiz referência* — ela diria assim, se fosse explicar o que está pensando agora, diante do elevador que empacou no

104

segundo andar e ela começa a ponderar os seus três dias de Sodoma e Gomorra, encerrados há trinta minutos e no entanto já tão longínquos, distantes, um passado pesado e concreto que se embrulha (*com papel de presente*, e ela sorriu, a Bernadete vai gostar da imagem) no balcão da memória.

— Eu sou o Mário — disse o jovem inteiro de branco, com a mão estendida. — Você deve ser o Erik? — mas ele olhava para mim, à espera de tradução — e você deve ser a Beatriz, não? A Bernadete me disse que vocês viriam hoje. Por favor, fiquem à vontade. O culto é livre. Ou para usar a palavra certa, a *gira* é livre — e ele sorriu.

Um cabelo negro e longo preso num rabo de cavalo, a barba imaculadamente feita, e sobre o peito uma miríade de colares de miçangas — no pescoço, a tatuagem de uma cruz vermelha como que envolvida por plantas (ou cobras?) verdes, as cores foscas, como toda tatuagem, a tinta absorvida na pele transformada em pergaminho semovente — *A cultura de elite* mainstream, *que fez a grandeza da civilização ocidental, ao mesmo tempo em que ampliou consideravelmente o espaço e a possibilidade de ascensão social das classes baixas graças à capacidade de produção de riquezas da liberdade capitalista, promove ao mesmo tempo* [manter a repetição??] *o crescente fosso da diferença cultural; a nova cultura emergente, criada de cacos, sobras e usos da cultura maior, no forno de uma estrutura educacional mediocrizada ao limite da autocomplacência multiculturalista, deixa de ser uma sombra passiva, folclorizada, mas um agente ativo da desmontagem do mesmo sistema de valores que a tirou da sombra. La creación de la barbárie.*

— É mais ou menos um novo *paganismo*? — Erik perguntaria a ela num sussurro e num esgar de estranheza, como se a palavra, mil anos depois, ainda mantivesse seu hálito selvagem e perigoso — isso depois da *gira*, em que ele se deixou levar num estranho entusiasmo *pela dança dos tambores*, ela contaria mais tarde a Bernadete, ainda espantada pela inesperada entrega do alemão, como que reforçando ao vivo e em cores o velhíssimo estereótipo da *utopia natural brasileira* diante da razão kantiana, e ela deu uma gargalhada. Sim, havia explicado Mário, que ouviu o sussurro *pagão* e não se incomodou com ele — sempre didático e gentil, a voz suave (*a falsa e pegajosa suavidade dos pastores*, ela pensou, ativando o cinturão de resistência), disse que os orixás, de origem ioruba (*Iorruba?*, ele perguntou à Beatriz, *Ioruba*, ela traduziu, cultura e língua nativas da região da Nigéria, é isso, não?, e Mário complementou, sim, mais Benin e Togo, de onde veio grande parte do mundo escravo brasileiro), são entidades da natureza muito semelhantes aos seres humanos, e que no Brasil se fundiram quase sempre com os santos católicos, *daí o sincretismo*, ele disse olhando Beatriz e esperando tradução, dando à palavra a ênfase de uma chave universal explicativa, um valor positivo em si, *o que é misturado é bom*. No momento em que eles entraram no local de culto, o que foi outro choque, agora *térmico*, e Bernadete achou graça, *um ar-condicionado não faria mal*, o calor do pé-direito baixo armazenado pelas telhas de amianto e ventilação mínima, *e as belas figuras de branco sob o poder visual dos colares de miçangas e cintos coloridos de pano*, mais uma vez ele estranhou a *simplicidade*, ele sussurrou a ela, esses bancos compridos de taverna para se sentar, os santinhos de gesso, o clássico São Jorge, a cruz cristã, a Nossa Senhora ingênua de braços abertos, as estatuetas simplórias (um velho negro fumando entre elas, ele se espantou), as velas coloridas e os vasos de flores, *um altar católico improvisado por uma criança sob um arco de plantas*, alguém poderia dizer, e o crescendo da música, o toque de atabaques, os pés no chão e o embalo de um ritmo aparentemente simples, letras de músicas quase infantis, pouco mais do que cantigas de roda — *o medo da escuridão*, ela ouviu com nitidez num momento, o que ela traduziu a ele, *darkness*, que já não ouvia mais Beatriz, os olhos pregados na cena que lhe tomava misteriosamente a alma, *the soul*, ele explicou depois colocando a mão no peito magro, tentando justificar seu envolvimento, talvez um pouco envergonhado de seu excesso de entusiasmo — a vergonha pública é um sentimento poderoso, *mesmo para alguém da FIFA*, como certamente lhe cortaria Donetti com uma risada — mas tudo em Curitiba é mais *contido*, disse-lhe Bernadete, que tinha mãe baiana (na Bahia é outra história); esse é o terreiro de umbanda ideal para um alemão; mas só me diga, Bea, *baixou mesmo o santo nele?!* — e Beatriz disse que sim, pelo menos parecia, mas que armas temos para acreditar em alguém? Porque foi a mesma dúvida dele, logo que o pai de santo — na verdade, *mãe de santo*, uma das mulheres que se destacou da roda de música e começou a falar coisas incompreensíveis com uma voz que, decididamente, não era a dela, e ele cochichou para mim, *mas ela acredita realmente que está incorporando outra pessoa* (*"another soul"*, foi a expressão que ele usou, e os olhos não se desgrudavam da mulher estranha) *enquanto diz essas coisas?!* — e eu não soube traduzir, assim como nunca soube exatamente o que ele queria ali.

— *Just curiosity* — ele explicou rápido, como quem quer se livrar da pergunta sem responder a ela, na caminhada que haviam feito no Jardim Botânico, outra de suas visitas obrigatórias. *Curriosidade?!* — é como em espanhol?, ele acrescentou, de um modo que parecia fuga de assunto, ou uma vergonha secreta (mas isso penso agora, ela concluiu à espera, o elevador ainda no segundo andar, e ela imaginou desistir dele e subir pelas escadas, *um breve exercício,* como se o sexo já não fosse exercício suficiente, e, olhos sempre no número dois paralisado, estranhou a própria paz, alguém que vence enfim o bloqueio das culpas imaginárias — *como se eu pensasse como um homem, agisse como um homem, tivesse a liberdade de um homem e os seus sonhos de relação humana, feliz pela conquista avulsa não de um parceiro, mas de um bom momento,* ela se divertiu intimamente, *a liberdade da caça, para ficar no clichê,* mas na verdade era um breve hálito de melancolia que lhe cobria a alma, ela sonhou escrever, como um trecho de poema — alguém que quer um momento de paz antes de *voltar ao trabalho,* telefonar a ele, gentil, nenhum tom de ressentimento na voz, *você já acordou? tudo bem?* — e dizer que vai buscá-lo às 14 horas para levá-lo de volta ao aeroporto, e haveria um jeito próximo do *frio* na sua entonação, *mas estou apenas recuperando a mim mesma depois de uma aventura tão tranquila que nem pareceu aventura).* Um dos detalhes que soterraram Donetti para sempre em sua vida era a previsibilidade, ela imaginou num instante, Beatriz e Erik caminhando a esmo no Jardim Botânico, *a partir de um certo momento, eu sempre soube o que ia dizer, de modo que ele não era mais o escritor, mas o personagem da minha vida, como se eu o escrevesse,* e Beatriz sorriu da ideia, *se você é capaz de antecipar cada palavra de quem vive com você, que graça haverá na vida?,* e no entanto é exatamente assim que acontece, disse-lhe alguém, *a vida em comum é um* game, *o objetivo é dominar todas as fases, eliminar surpresas, antecipar armadilhas*, e eles riram — quando foi isso?

Ele contemplava demoradamente a estufa de três abóbadas, o novíssimo cartão-postal da cidade, depois que as centenárias colunas da Universidade, antiga marca de Curitiba, foram perdendo terreno na guerra publicitária. *Há uma unidade nas formas*, ele disse, relembrando a Ópera de Arame, *esse toque art nouveau em toda parte. Um pequeno palácio de cristal. Com certeza será esta a imagem que a FIFA vai colocar na vinheta dos jogos para promover a cidade, em todas as transmissões*, ele disse com um toque (a única vez em que ela percebeu esse tom) condescendente, como se sublinhasse, *vejam como a FIFA é generosa, vocês ficarão conhecidos no resto do mundo! Alguém me falou também de uma árvore típica da região, um tipo de* pinus *com galhos laterais*, e ele abriu os braços com os dedos para cima, engraçado, numa mímica de criança, *araucária, lembrei do nome*, e Beatriz confirmou, sim, *Araucaria angustifolia*, detalhou, o latim soando como uma pequena graça — o que sempre me lembra angústia, disse-lhe Bernadete, e ambas foram ao *Houaiss* descobrir que, na raiz, a expressão significava tão somente "o que tem folhas estreitas", e imediatamente Bernadete disse, eu tenho folhas estreitas, essa dorzinha secreta no peito, e apertou os ombros, numa imitação infantil, *a menina das folhas estreitas*, quanta tolice! Quando o homem largou a taça de vinho na amurada estreita (*vai cair*, ela pensou, *o vento*), e ficou estranhamente sério olhando para o mar durante alguns segundos, ela sabia, e preparou-se, desejando que acontecesse — ele se voltou, e ela pareceu encolher, apertando os ombros antes mesmo que as mãos dele a tocassem num breve abraço, e fechou os olhos, entreabrindo os lábios para o beijo, que veio em seguida, e Beatriz sentiu uma fraqueza que da alma desceu ao corpo inteiro, quase um desmaio, *entregue-se*, ela se disse. *Aquilo não teve nenhum sentido*, ela concluiu mais tarde, como quem tenta interpretar um gesto alheio ou um trecho de um sonho. *Isso vai me perseguir.* Houve uma época, dizia Xaveste (e disso ela lembrava bem, porque foi um dos poucos momentos em que parou a tradução para realmente pensar nas palavras que transcrevia em português, aquilo a tocava especialmente, sua inclinação para a *gratuidade* — ela riu —, principalmente na seara sexual), em que a busca do chamado *ato gratuito* soava como a afirmação absurda da liberdade humana, antes uma qualidade que uma loucura — o horror à Razão [RRR — alternativas?? ódio à Razão?? repúdio??] buscava na estética sua legitimação metafísica. *No meu caso*, começou a pensar Beatriz — mas deixou para concluir depois e foi adiante, *estou atrasada.*

Uma caminhada agradável no Jardim Botânico, o dia bonito, e Beatriz sentia-se bem, *de uma forma nova*, ela poderia dizer — se fosse para resumir, diria em tópicos, *o bem-estar físico, o trabalho de intérprete (um bom trabalho aumenta a autoestima, minha mãe costumava repetir), o prazer da novidade, a inesperada, e tranquila, simpatia de Erik Höwes, o amanhecer já sem a sombra de Donetti, decisão firmemente tomada, acabou, a sensação de uma boa tradução que se aproxima do fim e o rumo novo em sua vida que ela representa, e a perspectiva de conversar com Chaves em breve sobre a tradução parecia-lhe muito boa (sim, vou a São Paulo; não, não vou aceitar o convite para ficar no apartamento dele, se acontecer), incluindo a vaguíssima ideia de um livro infantil chamado* O talismã do silêncio, *o menino caminhando na praia até se imobilizar diante daquele seixo brilhando na areia, tudo somado melhorava exponencialmente seu humor, eu estava quase eufórica, ela diria.*

— É muito bonito aqui — ele disse quando subiram as escadas em direção à estufa. Voltou-se para contemplar a geometria do jardim, dali o verde dos gramados, e adiante, no horizonte próximo, o perfil indefinido dos prédios da cidade. — Você vem passear sempre neste parque?

Ela estava de saia — a escolha exata para aquela manhã — e com uma blusa azul, uma cor que demorou a escolher (*essa cor faz bem para os teus olhos*, alguém lhe disse uma vez), depois de levantar cedo e traduzir mais uma página e meia — *A célebre, e provocadora, fórmula do economista irlandês Edwin McGavvas, segundo a qual o ponto ótimo dos partidos de esquerda dos países periféricos em desenvolvimento é de 20 a 25% do eleitorado, uma vez que, ao mesmo tempo, este volume de votos estabelece* [cria??] *uma forte pressão cultural pelas reformas inclinadas a uma maior justiça social, em regiões economicamente arcaicas — simulando o que aconteceu, de fato, na história bem-sucedida da social-democracia europeia —, quase sempre com resultados sensíveis* [interessantes??] *dentro do reformismo saudável, mas impede o costumeiro e inevitável desastre de a esquerda assumir o poder ou partilhá-lo diretamente, o que a faixa dos 30% em diante acaba fatalmente por tornar possível* [onde vai parar esta frase??]*, com consequências demolidoras (às vezes irreversíveis) na estrutura do Estado* — ainda com a lembrança viva do primeiro jantar entre eles, *mas você não quer mesmo que eu deixe você antes e de lá o táxi me leva ao hotel?*, como se fossem velhos amigos e não patrão e empregado (para dizer as coisas claramente, e Bernadete riu, perguntando: *Mas exatamente quando você se apaixonou por ele*, ao que ela respondeu também rindo, *Eu não me apaixonei por ele, em nenhum momento eu me "apaixoneeeei"* (e marcou bem a palavra pela entonação ridicularizante) *por ele, assim, de cair o queixo e babar. Aconteceu outra coisa.* Bernadete olhou para ela: *Sei. Um lance.* Beatriz pensou, sorriu, e concordou: *Sim, é isso. Um lance. Estou me especializando em "lances"*, e riram. *Você parece um homem, falando assim.* Ele é muito gentil, e foi especialmente gentil naquela noite — bem, não é preciso muita coisa para agradar uma princesa carente como eu, e ambas riram. *Não, falando sério*, ela corrigiu-se, *também em nenhum momento ele passou o sinal, por assim dizer. Eu sabia perfeitamente que meu trabalho estava numa fronteira perigosa de intimidade, essa coisa de acompanhar um sujeito o dia inteiro noite adentro.* Então ele não é nenhum Dominique Strauss-Kahn, de sair com o pau na mão comendo a mulherada que encontra pela frente? — e Beatriz achou graça. *Não, não, não, longe disso. Nem o mais remoto toque de assédio, além de uma ou outra mão gentil no ombro. Claro que eu já fui assediada na vida — você sabe, a mulher percebe no mesmo instante o limite. Mas, nesse caso, eu é que —* Mas você poderia ter se despedido e voltado para casa no final da tarde ou início da noite? *Sim, é claro. Mas — Bernadete! Afinal, de que lado você está? Você vai me processar?* E elas riram. *Mais um vinho?* Bernadete aceitou. *Continue. Conte tudo.*

— Pois até deveria vir mais aqui, é bom caminhar, mas não tenho carro, o ônibus é contramão, e com meu trabalho de tradução e aulas (*esqueci de avisar o Gabriel!*, ela lembrou) acaba me sobrando pouco tempo.

Erik parecia absorto na paisagem. *Depois eu telefono e remarco a aula de segunda.*

— Sim, essa imagem da estufa é realmente perfeita para simbolizar uma das sedes da Copa. *Wonderful.* — E ele simulou o enquadramento de uma fotografia com os dedos. — A *araucária* (é essa a palavra, não?) me lembra que eu tenho um encontro no Palácio das Araucárias, hoje, às 17h30, certo?

— Sim, na Coordenação Geral — e Beatriz reviu mentalmente a sequência de visitas. — Você quer ver a estufa por dentro? Tem uma passarela. Mas faz bastante calor ali.

— Um *invernadero* — ele disse, arriscando o espanhol. — *Let's go?*

Um casal de namorados próximo tirava uma *selfie* sorridente; beijaram-se em seguida, felizes, mas não se afastaram — a conversa em inglês chamou a atenção, e o menino (não mais que um garoto) manteve-se por perto, segurando a namorada pela mão e visivelmente tentando decifrar a conversa enquanto fingia conferir a foto no celular. *O toque estrangeiro dele, é claro. O tipo da pessoa que chama a atenção por onde passa. Uma espécie de "autonomia física", nos gestos, no jeito, alguém que decididamente não pertence ao solo que pisa, o que lhe dá uma estranha liberdade para quem olha daqui,* e Beatriz riu — *mania de tradutora, sempre atrás da expressão exata,* ela disse a Chaves no encontro em São Paulo, antes que Donetti chegasse. *Somos todos tradutores, mas só alguns têm aquele estalo da exatidão,* disse Chaves. *Você com certeza deve ter,* ele acrescentou de imediato, talvez temendo ter sido grosseiro com a ressalva, e ela sentiu uma primeira chama tênue entre eles. *Empatia,* eis a palavra. Mas *ando sentindo empatia demais,* e Bernadete riu com ela.

— Adoro o calor. Não temos muito dele na Alemanha. Lá, quando sai um sol assim (e ele ergueu os braços, quase uma oferenda) os alemães se esparramam pelados nas gramas dos parques —, e ele riu, como quem relata uma travessura. *Uma piada inconveniente?*, é difícil sintonizar com os nativos, talvez ele tenha pensado, ela imaginou. Antes de avançar para a estufa ele voltou a contemplar Curitiba ali do alto. *A sober city*, ele murmurou, *just a sober city, uma cidade sóbria*, e aquilo parecia se dirigir a ela, Beatriz. Olhou para o alto mais uma vez, conferindo a direção do sol. *O pôr do sol deve ser para lá, não?*, e ela fez que sim.

Quando voltou da praia, no final da tarde do dia seguinte, sob a ressaca moral do seu gesto (*eu nem posso dizer que fui assediada*), o sol descia agressivo sobre o perfil de Curitiba no horizonte, ferindo os olhos de quem se aproximasse, *é a pior hora para subir a serra, esse final da tarde*, disse alguém. *Meus pais e meu irmão morreram nessa estrada, logo ali*, ela pensou em dizer, quase como um exorcismo para sair de si mesma, mas calou-se. Do beijo — Beatriz revia o filme outra e outra e outra vez — eles se ergueram na sombra e foram se movendo lentos e silenciosos pelo medo, girando até o limite da varanda, fora do ângulo da janela, ela imaginava, sentindo o corpo do futuro marido de sua amiga envolvendo-a como que para protegê-la, pressentindo ambos o terror de serem vistos e extraindo o prazer deste medo, *o que talvez fosse bom*, ela concedeu, *as coisas enfim desabando, eis você* — mas disso jamais falou a Bernadete ou a alguém. Entraram na estufa e imediatamente ela sentiu o manto impregnante do calor. *Mata Atlántica*, Erik arriscou em português alguns passos à frente, inclinando-se para ler uma plaquinha — *What's "ma-tá"? Algo a ver com morte? Killing?* — e Bea-

114

triz ficou feliz em lhe dar mais uma breve aula de detalhes da língua portuguesa, o substantivo e o verbo, enquanto ele fazia um ar de aluno aplicado, terminando invariavelmente por dizer, bem sério, *ainda vou aprender português, adoro línguas — quer dizer, quando largar essa vida de futebol* (o que ele sempre acrescentava com um sorriso), posso me dedicar enfim ao que eu gosto mesmo — ainda que a natureza desse gosto ficasse no ar.

— E do que você gosta mesmo? — ela arriscou a pergunta no primeiro jantar, logo depois que ele enfim escolheu o vinho e ela explicou o sentido da palavra *cardápio*, foi uma invenção brasileiríssima de um gramático louco e patriota do fim do século 19 contra a terrível invasão da língua francesa e seu clássico *menu* — sim, sim, sim, ele repetiu compassado com brilho nos olhos, que interessante! Então *cardápio* só existe no Brasil, ele acrescentou, feliz como quem descobre um mico-leão, e é *menu* no mundo inteiro, na Espanha, na Itália, até na Alemanha, *menü*, uma palavra universal, e ela disse, Mas em Portugal é *ementa*, os portugueses são sempre originais, e era como se, em três ou quatro palavras, o gelo se quebrasse e eles se tornassem enfim velhos amigos de escola.

— Do que eu gosto? Ah, uma pergunta difícil. De vinho! — e ela acompanhou o sorriso, deixando entrever uma sombra de decepção pela piadinha fácil, *não espere muito dele.* — Desculpe, corrigiu-se ele imediatamente, antena ligada. De futebol, na verdade. Eu teria sido um grande jogador! — ele acrescentou, simulando um entusiasmo e uma vaidade de criança. — Você gosta de futebol? — E eu menti imediatamente, ela contou. *Sim, claro que sim. Meu pai me levava com meu irmão para ver jogos do Atlético na velha baixada, um buraco de várzea* (não, ela não disse assim) *de onde depois surgiria a Arena e agora esta sede de Copa do Mundo*, e isso era verdade — exceto que ela ia de má vontade, enquanto o irmão carregava uma bandeira rubro-negra gigante e voltava chorando nas derrotas, o que pelo menos uma vez na vida deixou-a misteriosamente feliz, não pelo Atlético, por quem sempre manteve uma simpatia remanescente, como se marcasse sua ligação com o pai (lembrou do porta-chaves com as cores do time na parede da cozinha, uma lembrança carinhosa da infância que ela conserva até hoje) — mas pelo irmão, com quem se estapeara um dia antes por um lápis de cor perdido. *Bem feito!*, ela sussurrou a ele, com o prazer de quem comete uma heresia sem perdão.

— Na verdade, eu *fui* um bom jogador aos 10 anos de idade. Sabe aqueles garotos que ficam horas controlando a bola, sem deixá-la cair? — e ele disse uma palavra em alemão que ela não entendeu. — Eu era assim. Até hoje, eu...

— Mas ele cortou abrupto a própria fala, e ela imaginou que ele iria dizer *eu faço demonstração para as minhas filhas*, arrependendo-se a tempo. E em seguida, do nada, como se houvesse relação: — Meu pai era católico, dos rígidos. Ele costumava dizer — e Erik abaixou a voz — que o catolicismo de fato foi a resistência latente no período nazista, o pequeno fundo moral, aquela pequena fronteira entre "certo" e "errado" que não se reconhecia mais em parte alguma. O que não é exatamente uma verdade, embora faça algum sentido secreto, respondendo a um desejo — ele concedeu, e, como quem remói uma coisa de que deve se livrar porque é a palavra errada no tempo errado e no lugar errado, o rosto momentaneamente tenso, tentou encerrar —, mas ninguém suporta tanta realidade. *E ele sorriu: eu nem sei por que estou dizendo isso.* E você, sabia?, perguntou Bernadete, e Beatriz pensou um pouco antes de responder: *como eu disse, alguma coisa entre nós, a tal da empatia, prosseguia ali; como quase todo homem, ele quis se exibir, eu acho, numa área que imaginou ser a minha. Eu mesma recoloquei-o nos trilhos, para deixar ele à vontade:*

— Você estava dizendo que era uma criança prodígio com a bola?

Ele amou minha pergunta, que o libertava do caminho que ele mesmo havia tomado, e iluminou-se — mas ainda ficou um instante inseguro da trilha a seguir, o sorriso incerto:

— Sim, quer dizer, não exatamente, mas, sim, sim! eu tinha muita habilidade, uma coisa meio de circo. Ainda tenho! — ele acrescentou, um brilho infantil nos olhos — só faltou ele dizer "tragam-me uma bola e moverei o globo", e Bernadete deu uma risada, *você é muito engraçada.* — A gente morava em Rosenheim, ali perto, e meu pai me levou para o Bayern de Munique, com grandes esperanças, e eu entrei logo no time juvenil. Cheguei a jogar com os Schweinsteiger, os dois irmãos. Um deles é da seleção, vai jogar aqui no Brasil. O outro é da minha cidade, estudou no meu colégio, e também é um bom jogador. Mas isso é passado! — ele disse, erguendo as mãos como quem quer encerrar o assunto e pedir paz. — Você já escolheu seu prato no *carrdápio?* — perguntou, deliciando-se com a pronúncia da palavra. — Eu disse certo? *It's all right?*

— *Perfeitíssimo* — ela respondeu em português, e, misteriosamente, ele entendeu, abrindo um sorriso: *Obrrrigado! Isso me lembra o latim da infância!* — e ele baixou a voz, a confissão terrível: *Eu cantava no coro da igreja!*

E como é que um santo desses foi parar na FIFA?! — perguntaria Donetti, se soubesse, e a pergunta imaginária fez Beatriz sorrir, enquanto brindavam, assim que ele aprovou o vinho, sem nenhum salamaleque com a taça e o gole que o maître ofereceu, como quem quer rapidamente voltar ao clima da conversa. *E você? Estou falando muito de mim mesmo, e a FIFA, como você sabe, é uma entidade secreta* — e ele riu, mas, inseguro, acrescentou, sério, *please, it's just a joke,* sim, é claro que é só uma brincadeira, ela tranquilizou-o, ainda pensando no coro da igreja, o garotinho louro de cabelos em cachos, bochechas rosadas, a batininha branca de rendas. Agora sim, ele provou o vinho com vagar: *Hmm, realmente bom!*

— A música é completamente diferente — ele disse, assim que entraram no salão da umbanda e o hálito de calor daquele espaço impregnou-os de *eletricidade,* foi a palavra que ela usou para descrever a sensação à Bernadete. *É verdade — eu me arrepio cada vez,* concordou Bernadete. O *crescendo* dos atabaques — ele não conseguia tirar os olhos. Por que eles ficam de pés no chão?, ele perguntou, *Nós também temos de tirar os sapatos?,* enquanto uma senhora de branco e miçangas cochichava alguma coisa à Beatriz, apontando o alemão. *O futebol transcende o espírito prosaico do jogo até o limite da missa, do ritual, da religião; nem remotamente ele tem a frieza quase matemática de um jogo* [uma partida?? evitar rep.] *de tênis, um combate asséptico de xadrez, ou os duelos coletivos, sempre milimétricos, de vôlei ou de basquete, quando as equipes são semelhantes; no momento em que Petros, o atacante da então monolítica Tchecoslováquia comunista de 1970, abriu o placar contra o Brasil no primeiro jogo da Copa, num chute cruzado, e se ajoelhou em*

*seguida fazendo contrito o sinal da cruz para o mundo inteiro
ver, havia mais em cena do que um mero jogo, um gesto que
também não era exatamente, ou apenas, político.*

— Ela está perguntando se você quer tomar um passe —
Beatriz disse; incerta da tradução, manteve a palavra brasileira, *passe*, acompanhada de um gesto incompreensível
sobre o rosto dele, que ela inventou para tentar explicar o
que ela mesma não sabia o que era, sem conseguir — provavelmente a cabeça dele confundiu *passe de futebol com passe
de umbanda*, riu Bernadete, e Beatriz acrescentou, *eu também*, rindo junto, até que Doroti explicou, *Ele quer fazer alguma pergunta ao guia espiritual da gira?* — o que deixou as
coisas instantaneamente claras.

Ele sorriu da ideia, deixando entrever um toque tenso de
ironia, como quem se vê num balcão de circo, na tenda da
cartomante, e ergueu a voz para ser ouvido, porque os atabaques subiam de tom e força, a cantoria ganhando corpo,
a pergunta tem de ser em voz alta? Ao ouvir atenta a tradução
de Beatriz, Doroti esclareceu numa negativa enérgica, cochi-
chando *não não não, pode ser uma pergunta íntima, uma
dor, um sofrimento, algo que ele queira vencer, explicou à
Beatriz, que traduziu em seguida, feliz pela clareza da frase,*
uma tradutora fria, ela pensou de si mesma, *Mas aquilo era
mesmo ridículo*, ela pensou em dizer à Bernadete. No mesmo
instante, Doroti tocou o seu ombro, no rosto um inesperado
toque de consternação: *Você não quer um passe também,
querida? Parece que...* Não não não, ela repetiu, sorridente
mas tensa, eu sou apenas uma tradutora, e naquele momento a palavra parecia definir sua vida, não seu trabalho. *Uma
tradutora.* Ficou alguns segundos desligada — *eu queria re-
capar os fios*, ela explicou rindo à Bernadete, *de repente tudo*

ficou desconfortável, e levou algum tempo para perceber o que estava acontecendo quando Doroti me estendeu os sapatos e as meias do Erik, ele sentadinho ali no banco da igreja como um coroinha aplicado, dobrando a barra das calças para não sujá-las na sessão, louco para entrar em campo como um juvenil do Bayern de Munique, e ela riu da imagem.

— Um lateral — ele disse. Eu jogava na lateral. Bons e verdadeiros laterais são peças preciosas no futebol de hoje, preciosas e raras. O lateral é o homem que descentraliza o jogo, a válvula de escape da batalha do meio de campo — e ele espalmou as mãos abrindo os braços, um caminho que se abre, o gesto de um padre abrindo o coração, ela interpretou — e, ao mesmo tempo, abastece, lá adiante, depois de dois ou três volteios, os atacantes que chegam de trás para o arremate. O futebol é uma arte rigorosamente cartográfica — ele brincou —, mas de uma geometria sempre imperfeita, uma dança livre de ocupação de espaços, permanentemente atrapalhada por uma invasão de vespas agressivas, *aggressiven Wespen*, que são os adversários de quem tem a bola, e ter a bola é o poder mais frágil do mundo, súbito ela some dos pés — e ele sorriu da representação, dedos crispados em garra. Não foram exatamente essas as palavras, Beatriz explicou à Bernadete, mas o espírito era esse, parecia um poema.

— E então, você já escolheu? — ele perguntou, interrompendo sua breve biografia, e Beatriz voltou os olhos ao cardápio aberto que mantinha nas mãos sem ler, sentindo agora uma fome súbita. *Não posso beber muito,* ela repetiu mentalmente o mantra, e sorriu mais uma vez da diferença entre o bávaro imaginário (*e o engraçado, Bernadete, era que ele é da Baviera mesmo!*) e aquele fino lateral contando sua vida diante dela. Mas não resistiu a voltar ao assunto:

— E você? era mesmo um bom e verdadeiro, *good and true*, lateral?

Ele riu, surpreso pela retomada exata da expressão, e pensou antes de responder, franzindo a testa, a simulação de um teste difícil:

— Verdadeiro, sim; era ali que eu queria jogar, à margem do campo, com espaço de fuga (o que eu acho — e ele franziu de novo a testa — que diz algo de mim mesmo, *o futebol não mente*); mas, *bom, bom mesmo*, isso eu não sei. — E ele voltou o nariz ao cardápio, quase como quem se esconde, e de repente volta à Beatriz: — Não. Não era bom, para ser honesto. Eu era uma criança. — Olhou para o infinito, num tenso devaneio, fazendo cálculos. — Nasci em 1978. Em 1988, aos dez anos, assombrava pelas *embaxadinhas*, é essa a palavra que vocês usam, não? — ele arriscou, em português, e ela corrigiu, frisando o ditongo, *embaixadinhas*, que ele repetiu, aplicado: — *Embaixadinhas!* O que não faz de ninguém um Mozart do futebol, ainda que impressione. Em campo, mesmo criança, comecei a perceber, à base de pancadas, a distância que existe entre a habilidade pessoal e o jogo coletivo. Principalmente o *objetivo* do jogo, que é incrivelmente simples: fazer um gol. Lembro nitidamente de um episódio, no juvenil do Bayern, quando o técnico me tirou do campo quase que pelas orelhas, no velho e bom estilo da educação camponesa (e ele riu da heresia, *please, it's a joke!*). *Eu prefiro um jogador com pouca habilidade, mas inteligente, a uma foca amestrada, e burra*, disse ele. Quando contei em casa, meu pai ficou furioso e foi lá pedir satisfação aos gritos. Minha fabulosa carreira de gênio do futebol começou a se enterrar ali — e Erik deu uma risada. Voltou ao cardápio: — Eu quero esse espaguete *al pomodoro e basilico!*

Hmm!... Isso deve ser muito bom. Beatriz acabou escolhendo um peito de frango grelhado com vegetais, quase arrependendo-se em seguida, *eu estava com um desejo de massa, mas o peso...*, e elas riram.

— Não sei por que estou falando de futebol para você. Você deve achar muito chato, não?

Talvez ele tenha pensado em repetir a expressão-chave, *mulheres em geral não curtem futebol*, obedecendo à força da pura e indiscutível estatística do mundo real, e provavelmente mordeu a língua — e Bernadete concordou, completando, *eu também odeio quando um homem me diz que eu vou achar chata alguma coisa de que ele gosta, como se isso fosse um dado da natureza* (e Beatriz sentiu que a amiga parecia repetir um manual insincero).

— Não, por favor! Continue. *Tudo* me interessa — ela disse, com ênfase, e ele, simulando um pequeno choque, parou um segundo para pensar naquele *tudo*, um leque estranhamente amplo, com uma sombra arrogante de pretensão, quando o que ela de fato havia pensado era no *vocabulário* do futebol, um interesse profissional, de tradutora, mas o *tudo isso* se transformou no *tudo* — *everything?*, ele perguntou, incrédulo, fazendo uma graça ambígua. *Tudo?* Que duplo sentido havia ali? *O futebol me interessa*, ela corrigiu, repondo a conversa num trilho seguro, o tom sério, e ela pensou em citar alguma coisa do Xaveste comentando a importância histórica do Barcelona para a autoestima da cultura catalã, só para mostrar que ela não era uma ignorante no tema — *a recusa da equipe catalã, até bem pouco tempo, a aceitar patrocínios comerciais em sua camisa* [os portugueses dizem "camisola" — não é engraçado?, riu Chaves, no restaurante da Figueira, no único momento em que Donetti concordou com ele, *camisola!* — e eles riram] *tornou-se como que uma bandeira utópica da destruição do capitalismo, a recusa simbólica a aceitar o seu triunfo na área mesma que transformou, pelas mãos da FIFA, o esporte inocente de operários ingleses do final do século 19 na vitrine imperial do dinheiro globalizado, uma vitrine pela qual países destroçados pela violência endêmica, pela apropriação amoral do Estado e pela anemia educacional (o Brasil, no renitente arcaísmo da América do Sul, é um exemplo clássico)*, e Beatriz se surpreendeu, é a primeira e única vez que ele cita o Brasil no livro, *pela qual países destroçados*, ela releu, procurando o sujeito da frase, *lutam, a preço de ouro e corrupção de todos os estamentos políticos, para irrigar a qualquer preço — o céu é o limite — a economia incestuosa do clientelismo.* Mas no mesmo instante ela percebeu que Xaveste seria demais naquela mesa.

— Você disse mesmo isso? — perguntaria Bernadete, pondo a mão na boca, e ela responderia rindo, *não, só pensei —*, e diluiu o tema, insegura. *O futebol é um assunto onipresente no Brasil, ainda mais agora, com a Copa do Mundo. Você sabia que Curitiba já foi sede na Copa de 1950?* — e ele se animou, *sim, sim! Isso também foi levado em consideração pela FIFA*, e a conversa resvalou para aspectos práticos, mas em pouco tempo retomou um rumo pessoal e ambos tateavam informações sobre o outro. *Mas você sempre foi solteira?*, ele perguntou sorrindo num momento, um tom de brincadeira, oferecendo-lhe mais vinho, que ela recusou, um pouco tensa: *Eu não devia estar aqui*, foi isso o que eu pensei. *Vá para casa. Não ultrapasse a linha.* E a minha resposta meio gaguejante — pais e irmãos mortos num acidente, um casamento defensivo e frágil que se esfarelou em pouco tempo, a dupla traição (mas não entrei em detalhe nenhum), a ausência de filhos — parece que despertou o lado *protetor* dele, o que sempre assusta. Eu devo ser uma espécie moderna de Manon Lescaut, lembra do livro? — mas imediatamente Bernadete contestou, Nada disso, a Manon Lescaut era uma pilantra total dando nó num patinho!, e elas riram. *I'm so sorry*, ele disse entristecendo súbito e me olhando nos olhos, uma contrição pesada no rosto, e eu sorri imediatamente, mudando de assunto e libertando-o de uma vez por todas daquilo. Talvez eu devesse ser brutal como uma filósofa radical: *Não lamente. Deus me deu a liberdade.*

Mas não falamos mais de mim, pelo que eu me lembre. O manto protetor, entretanto, se manteve até o fim, ela imaginou, pesando o sentido da palavra "fim", a minha escolha, no momento em que o elevador finalmente saía do segundo andar, a luzinha acendendo o número 1. Alguém engrossou a fila e cumprimentou Beatriz com um sorriso, a que ela correspondeu igualmente com um sorriso desviando os olhos para o envelope amarelo do sedex — a letra de Donetti. Deve ser o primeiro capítulo do seu novo projeto de obra-prima, ela pensou, *a apreensão literária dos processos multifacetados de percepção da realidade*, ele havia dito com uma pose insegura antes de ela derrubar o telefone. É possível permanecer amiga de quem partilhou nossa cama e, principalmente, nossa nudez?, uma colega de anos atrás lhe perguntou, atrás de conselho. *Ele me persegue*, a amiga disse, aflita. *Eu não sei o que fazer.* Beatriz demorou para responder, pensando na diferença entre partilhar a cama e partilhar a nudez, e de repente, aqui e agora, a distinção fez sentido para ela. Se a metáfora é verdadeira, eu partilhei minha nudez com Donetti, mas não com Erik, ainda que. — E o que você respondeu a ela?, perguntou Bernadete. Uma banalidade. Eu disse simplesmente *deixe o tempo passar. Se a amizade ressurgir...* e Beatriz sentiu o peso levíssimo do envelope de Donetti, quase nada nas mãos. *Ele deve ter me mandado duas, três páginas, não mais que isso.* A cama e a nudez — e ela pensou no verso de uma música brega que uma vez ouviu num táxi. No táxi, saindo do restaurante, Erik insistiu: *Amanhã cedo você não quer mesmo tomar café comigo no hotel? Podemos conversar e adiantar com calma o roteiro do dia em Curitiba.*

— Obrigada, Erik. Mas realmente eu tenho um trabalho a terminar amanhã cedinho, estou com o prazo estourado. Podemos marcar às dez? Eu espero você no hall. Já fiz um roteirinho de visitas turísticas, como você pediu. E a previsão do tempo é boa: sol com poucas nuvens.

— Sim, sim, é claro, às dez está ótimo! — ele concordou, apagando rapidamente do rosto a breve decepção pela recusa, com um sorriso. Ao abrir a porta do carro em frente ao hotel, deixou visível uma hesitação milimétrica entre trocar beijinhos ou não, e acabou estendendo a mão para Beatriz, num gesto desajeitado, a que ela correspondeu com uma simpatia fria. *Nunca vá para a cama com um homem na primeira noite*, um clássico da sabedoria feminina, e as duas riram. *O que eu não cumpri com o Donetti, e veja o resultado.* É que ele tinha o talismã do silêncio, ela relembrou, uma sedução sempre mais difícil, mais tensa, mas também mais forte, que arrasta; já Erik tem a simpatia verbal, um homem leve, de palavra e gestos fáceis, ocultando uma fragilidade sutil, a da vaidade — quando você percebe, distraída pela mágica, já está na cama, ainda que sem aquela nudez metafórica plena. É também um homem mais bonito do que o

Donetti, ainda que os olhos do Paulo sejam imbatíveis; os olhos de Erik parecem de vidro, um azul aguado que parece não existir na natureza. Ele inteiro parece *transparente*. Você *passa* por ele, ela disse mentalmente, já como uma realidade distante, um passado longínquo — e o elevador abriu-se diante dela.

3

Não foi exatamente uma mentira, ela se justificou, relembrando quinta à noite, a última vez em que esteve em casa — e buscou no painel o número 14 (o 14 é um número que não diz absolutamente nada; o 10 é um clássico; o 11, um ímpar, um primo simpático, um e um; o 12, nem preciso dizer a relevância, é outro clássico; o 13, uma teologia inteira; o 15, um soldado da ordem, de cinco em cinco, plact plact plact; já o 14 é quase que um não número de tão irrelevante — nenhum sentido se extrai dele, e Donetti sorria, como se, atrás da brincadeira, falasse sério sobre o andar de Beatriz: *O que você acha da minha teoria dos números?*), a mão avançando entre duas cabeças no espaço lotado, *com licença*. O que eu acho? *Eu acho que você não me ama mais*. Terminar a tradução logo — sentiu um desejo de falar o quanto antes com Chaves, retomar a *normalidade*, repor a vida nos trilhos. Meu pai gostava desta expressão: a vida nos trilhos. Promover uma espécie de *esquecimento programado*. Mas nesses últimos quatro dias a memória nem memória é, eu me misturo com as coisas que lembro — *você entra no filme*, uma vez Donetti sussurrou, *uma coisa muito louca* — e sentiu a velha ansiedade subindo ao peito: não se entregue aos sentimentos. Eles têm facas afiadas nas mãos, alguém lhe disse, o suficiente para Beatriz sorrir da imagem, como se fosse parte de um desenho em preto e branco, linhas no papel. (O que eu acho da sua teoria dos números? Que você não me ama mais. *Como você pode dizer uma coisa dessas?* ele respondeu, e eles se beijaram, demorados.) *O nosso mundo mental prossegue analógico,* Xaveste escreve num momento, *destrinchando* [cabe isso aqui ?? — *desenredando*], *ponto a ponto, redes abstratas de sentido.* Sim, essas linhas vazadas no espaço, desenhadas no ar, ele disse diante da Ópera de Arame e mais tarde na estufa do Jardim Botânico, o princípio da Torre Eiffel, o que a surpreendeu, *para um ex-jogador de futebol, Bernadete, eu achei, assim, surpreendente,* mas afinal qual era mesmo o interesse dele, quis saber a amiga — e Beatriz lembrou de ter perguntado alguma coisa a respeito quando contemplavam as plantas, sob o mormaço daquele calor imóvel, e o telefone dele tocou — *Entschuldigung!,* disse ele, simulando uma consternação exagerada, e se afastou três passos na passarela, desviando-se de uma fileira de aluninhos que irrompia por ali aos gritos sob a tentativa de orientação de uma professora miúda que despertou instantaneamente o afeto de Beatriz, crianças infernais, ela pensou sorrindo, tão bonitinhas, e Erik, celular no ouvido, braços altos e gesticulantes, testa franzida, o corpo de toureiro desviando-se de crianças como um caule inseguro entre dardos voadores no curto espaço da passagem, até que se fez novamente silêncio, sob o manto anestésico do calor, um hálito abafado — alguma coisa sensorial, preguiçosa, desejante, naquele ar fechado. *Pardon,* disse ele, recolocando o celular no bolso com um sorriso constrangido.

— *Please,* fique à vontade — Beatriz se ouviu dizendo, como se fosse ela a comandante ali, e não a intérprete contratada. — Posso imaginar a quantidade de telefonemas que você recebe, com a responsabilidade que... — ela acrescentou, tentando justificar o que talvez soasse como intromissão, enquanto avançavam, ela sem olhar para os lados, *um guia montanhês*, abaixando-se aqui e ali para desviar dos galhos, cada planta com sua plaquinha, que ele, em paradas ao acaso, tentava decifrar. *Minha irmã tem uma agência grande de viagens e turismo em Frankfurt*, ele disse. *Well, há um potencial interessante em Curitiba, com a Copa do Mundo e a venda dos ingressos. Tudo parece muito organizado aqui, não? A cidade é muito limpa.*

E em vez de denunciar ele por corrupção, você perguntou da irmã? Eu li alguma coisa sobre tráfico de ingressos da FIFA, a coisa vai respingar — e Bernadete riu, tocando-lhe o braço: Brincadeira, Beatriz! Você está muito sensível por uma bobagem. Esqueça. A página virou. *Você tem uma irmã?, perguntei, curiosa: era mais um passo em direção a ele, quer dizer, no processo de transformá-lo em alguém palpável, por assim dizer — alguém que tem uma irmã é sempre uma pessoa mais real ou verossímil, biograficamente mais sólida*, e as duas riram da ideia. É a comerciante da família, ele explicou, quase com um tom consternado — como é sete anos mais velha do que eu (fui uma criança inesperada, *unerwartet*, ele disse em alemão, agora com um sorriso, como se nisso houvesse algum segredo especial que ele partilhasse), sempre me tratou mais como um filho do que como um irmão. Se não fosse a insistência dela com o meu pai, talvez eu não tivesse ido para a Suíça, na escola do Basel, onde até não fui mal, e, bem mais tarde, com a abertura do futebol, para a Fiorentina, o que seria impossível alguns anos antes. O Dunga jogou lá! — disse ele, como quem oferece, grátis, uma pedra preciosa, e Beatriz fez um *sim* sorridente, lembrando vagamente alguma coisa, quem era mesmo *Dunga*?!

— Ah, sei, sei. E você ficou quanto tempo na Itália? *Só oito meses*, ele detalhou. *O tempo de ficar adulto e de aprender alguma coisa do italiano:* Ma che bella ragazza!, ele brincou, como um exemplo, mas que, pelo jeito do olhar, não era apenas exemplo. Voltou a ficar sério: *E de ganhar um bom dinheiro com a transferência, que minha irmã administra até hoje. Uma espécie de prêmio na loteria. A minha vida de jogador parou ali. Foi tempo suficiente para quebrar uma perna — goodbye, soccer! Pouca gente percebe, mas o futebol é um jogo muito violento e muito ignorante. Lembro até hoje da frase do técnico, lamentando meu estilo de jogar e me condenando ao time reserva, onde encerrei a carreira: "Você imagina que é brasileiro", ele me disse com um toque de desprezo, o que eu não assimilei bem até hoje. Na minha infância, o Brasil ainda era um mito, mesmo perdendo em 82 e 86. Em 1990 a Alemanha ganhou a Copa. Era só uma seleção mediana, mas tinha o Mathäus, e o técnico era o Beckenbauer. Meu pai ficou indignado porque eu não fui convocado.* Hurensöhne!, *ele xingava, sacudindo o punho —* e Erik deu uma risada. *Os pais sempre vivem num mundo imaginário. Na cabeça dele, eu ainda era o garotinho prodígio.* Nesse momento, quase que eu perguntei: Você é pai? Eu deveria ter perguntado, ela diria à Bernadete, e sentiu um frio no estômago — *não se deixe levar.* O elevador parou no terceiro andar e, no aperto do espaço, alguém pediu licença para sair — Beatriz esticou o braço, segurando a porta com um sorriso gentil. *O Brasil não foi bem naquele ano, um time sem brilho nenhum. Um comentarista fez uma observação que achei interessante para definir aquele ano: a Alemanha joga com uma régua de precisão; o Brasil com um compasso sem objetivo.*

De novo ao ar livre e sob o céu azul — era como se, ao contrário, agora entrassem numa sala com ar saborosamente refrigerado, a brisa leve — ele tocou o ombro de Beatriz e perguntou de supetão, baixando a voz: *Seja sincera: você acha realmente que a Arena da Baixada vai ficar pronta até a Copa?* Beatriz começou a gaguejar alguma coisa — *eu realmente não tinha a menor ideia!* —, mas Erik não esperou resposta, decidindo ele mesmo. *Ontem eu fiquei um pouco assustado com o estado das obras, tudo por fazer ainda, você não achou? Mas o Jérôme acha que está tudo bem, que o governo daqui se comprometeu. Bem, governo no Brasil sempre fala qualquer coisa,* e ele sorriu em seguida, como se isso fosse uma qualidade misteriosa. *É que se eu investir num plano turístico para Curitiba — minha irmã está mapeando as possibilidades, a ideia é atrair quem não se interessa muito por futebol mas quer conhecer o Brasil, em pacotes curtos de sete ou dez dias — seria péssimo se os jogos daqui fossem transferidos de última hora para Porto Alegre. Tem toda uma logística envolvida. Um ponto a menos no projeto.* Era uma espécie de monólogo. *Ainda que,* ele ponderou, os olhos nas linhas do horizonte de Curitiba, a geometria dos prédios do centro da cidade, *isso tenha futuro, independente da Copa. Uma cidade sóbria — parece Frankfurt. Os alemães vão gostar daqui, você não acha?* — e ele sorriu, mas sem alegria, ainda calculando. *Os jogos não ajudam muito, é verdade. Bem, tem jogo da Espanha, que deve chamar a atenção. Mas com ela vêm Honduras, Nigéria, Equador, Irã, Argélia, Rússia. Uma sede multicultural, por assim dizer. Isso sempre tem algum apelo, você não acha? Os europeus adoram se sentir responsáveis pelas misérias do mundo, mas não no futebol.* Foi uma das poucas vezes em que senti ironia na sua voz, e me lembrei de Xaveste. Em geral, a graça dele era puramente alegre, quase uma inconsequência infantil, o que me atraía. (Ah, entendi! — brincou Bernadete, enchendo outra taça.)

— O futebol é o espaço que sobrou das pátrias. Aqui não é assim? — e ele riu, como alguém surpreso com a própria ideia. Beatriz, ainda ponderando o inesperado do que ele disse, pensou em repetir o que ouviu de alguém na reunião de condomínio: *No Brasil as pessoas matam e se matam pelo clube, mas torcem secretamente para a seleção perder, só para dizer depois "eu não disse?".* Mas Erik não esperou resposta e voltou rápido aos cálculos, falando mais para si mesmo: — *Bem, a médio e longo prazo o câmbio vai nos favorecer, sempre, o que é uma vantagem. A ideia da minha irmã é construir uma ponte turística no país que sobreviva à Copa.* Num instante fátuo, Beatriz imaginou-se traduzindo documentos para a empresa da irmã de Erik e sendo paga a preço de FIFA, mas, como quem se pune, voltou imediatamente a pensar em Xaveste, estou atrasada, *o euro é, simbolicamente, um triunfo da alma iluminista; a realização econômica transnacional, de pesos e medidas puramente mercantis, no clássico jogo de interesses do capital (tecnicamente, a defesa de uma Europa economicamente frágil e fragmentada), oculta o sonho universalizante* [ou só *universal??*] *que bate no coração de toda cultura quando encontra o seu diferente, desde que a metafísica conciliadora da Razão entrou em jogo. As cartas persas, de Montesquieu, se transformam nas cartas da Europa — somos todos iguais.*

— Podemos almoçar agora, não? Você me faria companhia? É minha convidada! — e ele sorriu gentil, a simulação um tanto desajeitada de um encontro casual, e não de um contrato de trabalho. Era como se as refeições não fizessem parte do pacote. Ela percebeu, mais uma vez, o toque de mão, ligeiro e cordial, no seu ombro. *Europeus não costumam tocar nas pessoas assim — é uma operação de alto risco, sujeita a processos por assédio. Eu, se fosse você, processava!* e Bernadete riu.

Pela minha breve demora em dizer *sim* — eu fiquei com o Xaveste e o euro na cabeça, as frases soltas e inacabadas na memória e eu atrás do sentido — ele fez uma expressão consternada, erguendo a mão, agora defensiva, talvez queimada pelo toque:

— Bem, se você prefere voltar para casa, eu almoço no hotel e nós podemos nos reencontrar às duas ou três, e temos ainda a visita à Coordenação da Copa às cinco — e ele olhou o relógio num gesto repentinamente severo. — Mas eu preciso... — Erik balbuciou alguma coisa em alemão e circulou o olhar, súbito perdido naquele parque, como se o sutil elo afetivo que havia surgido entre eles sob o calor da estufa como uma aura simpática se esfarelasse em um segundo. Fiquei surpresa pela súbita insegurança dele — ou seria uma tática? — e o salvei da curta deriva, exatamente nos termos em que ele já previa:

— Não, não, desculpe, Erik! Sim, sim, vamos almoçar juntos, é claro! Esse era o plano, não?

Ele ficou feliz como uma criança pelo sucesso de sua microtécnica (e Bernadete sorriu de novo, *você é engraçada — "microtécnica"!*).

— Eu até fiz uma lista — Beatriz emendou em seguida, tirando uma anotação da bolsa, com a sequência de atrações a visitar — Parque Tanguá, Passeio Público, Parque Barigui, Vila Velha (consultar se interessa — alugar um carro??), uma caminhada pelo Largo da Ordem, mais o encontro com o Coordenador-Geral da Copa em Curitiba, talvez eles tenham marcado um jantar, algum compromisso interno do comitê à noite, o que vai ser chato, ela previu, políticos tirando casquinha do agente da FIFA — e endereços de restaurantes garimpados na internet como opções mais finas aos que ela frequentava mais, os populares de sempre, além de um asterisco indicando *conversar com o Chaves sobre o prazo*. E mais aquele pedido abstruso de conhecer um terreiro de umbanda — ele vai voltar a falar disso?

A porta do elevador não se fechava, até que alguém tirou enfim a aba do casaco do caminho da *célula fotoelétrica*, disse um vizinho, explicando o fenômeno, o que foi engraçado; o homem da capa se desculpou com uma careta consternada, mal podendo se mover, e alguém sussurrou uma reclamação sobre o prazo do conserto do outro elevador, *já era para estar pronto*. Um estado tranquilo de melancolia, pensou, ou *determinou-se* Beatriz abraçada sobre si mesma, segurando o envelope maior junto com a correspondência miúda que deveria ter colocado na sacola de suas compras, agora esmagada na perna, dez pessoas no elevador. *Vamos subir?* — ele perguntou enfim na segunda noite, quase que afastando-se de mim no táxi, sob um manto inesperado de frieza, para que a cerimônia de casamento acontecesse nitidamente, claramente, indiscutivelmente de livre e espontânea vontade, nenhuma síndrome de Dominique Strauss-Kahn, o poderoso chefão do FMI que foi irresistivelmente se enroscando em saias até levar um tombo espetacular (duas horas depois, nós rimos disso, relembrando a cena passo a passo, como dois prisioneiros que se libertam de anos de inibição, mas isso, é claro, ela não contou à Bernadete). E eu disse: *sim.* (Para mim, depois de um momento da minha vida — quando, exatamente? —, isso nunca foi difícil, o risco de avançar pela sombra em busca de. Não sei.) Foi o instante final de um crescendo afetivo com a exata eletricidade de um primeiro namoro, se eu tentasse definir a alguém o que aconteceu — e, ao mesmo tempo, uma maravilhosa porta de escape emocional — *Abgasöffnung*, ele sussurrou em alemão, aquele som rascante tão díspar, tentando definir o que sentiu no terreiro, quando abaixou a sua altíssima cabeça, a cabeça na Catedral de Köln, o corpo na tapera, para receber o *passe*.

— Mas ele estava mesmo levando aquilo a sério?, perguntou Bernadete. Ou era só um europeu curtindo uma cerimônia indígena exótica para contar aos amigos de Berlim? Ele mora em Frankfurt, na verdade, Beatriz explicou, mas passa um bom tempo em Zurique, a sede da FIFA. Bem, ele foi levado lá adiante, em frente ao altar, por duas capitãs — acho que é assim que eles dizem, não? —, uma de cada lado, segurando os braços já abertos dele como quem leva alguém para um sacrifício mortal, quando a vítima já não tem mais vontade, só um corpo que se arrasta lentamente, a alma dopada e entregue, não sei se exatamente a Deus. Bernadete, eu sou muito sugestionável. De repente parecia que não havia mais *pessoas* ali, só uma... *atmosfera*. Senti um cheiro forte de tabaco e meus olhos se turvaram. Me deu uma sensação ruim, ou insegura — aquela música crescendo, os atabaques, a cantoria ininteligível, e um casal de pais de santo girando adiante numa capoeira esquisita, o esgar no rosto, espasmos nos braços e pernas, os sons roucos simulando a fala de almas à espera do Erik, uma sombra de histeria. Eu fiquei literalmente com os sapatos e as meias na mão, por assim dizer, em pé ali no fundo, até que alguém (*foi a Dorinha que te* socorreu, *ela me contou depois que você "entrou no clima"*, e Bernadete riu, como se relatasse uma aventura divertida de crianças), ela me levou como uma enfermeira dedicada a um banco vago, me ajudou a largar os sapatos que eu agarrava com força e cochichou: *Por favor, não cruze as pernas durante a gira.* Levou tempo para o sentido daquilo entrar na minha cabeça.

Caminhando de volta nas calçadas do jardim simétrico, *mini-Versailles*, ele sorriu, parou um momento e voltou a olhar para a estufa. — *De fato, uma construção delicada, uma imagem simples e bela, inesperada na paisagem brasileira.* (As cidades brasileiras são feias, você não acha? — ele perguntaria no dia seguinte, num surto tranquilo de sinceridade, ambos já mergulhados integralmente na intimidade. Ela demorou a responder, olhando o teto. *Eu nunca pensei nisso, vivemos entranhados nelas, mas acho que você tem razão.*) E, pela terceira vez, o toque gentil no ombro: *Pensei em comer carne. Me deu desejo. Você não é vegetariana, não?*, e a pergunta ganhou uma súbita tensão, como se daquilo dependesse o sucesso ou o fracasso de toda a viagem. *De certa forma...* brincou Bernadete, mas Beatriz retrucou, desta vez sem sorrir: *Não, não havia nenhum duplo sentido. O humor dele tem um outro jeito que eu não sei explicar.* "Espeto corrido", Erik arriscou dizer em português, tentando se lembrar da expressão exata, *eles servem muita carne de boi, não?* Rindfleisch! *Dizem que vocês brasileiros só perdem para os argentinos em consumo diário de carne bovina.* Beatriz não conseguia imaginá-lo nos restaurantes da Avenida das Torres, a gastronomia *kitsch*, espetos pingando de minuto em minuto em torno de duzentas mesas, a barulheira infernal, crianças correndo e gritando. Lembrou do

Parque São Lourenço, do Museu do Olho e do Parque do Papa, tudo na mão para a sequência de visitas, e decidiu levá-lo ao Ervin, na Mateus Leme, *um espaço tipicamente curitibano*, ela explicou, sem impressioná-lo muito, *e muita carne*, acrescentou, rindo, e ele finalmente riu, agora feliz como uma criança, *muita carne*. Gut! *E o terreiro?*, ele perguntou no táxi. *Es ist sehr wichtig*, acrescentou em alemão, o que eu entendi — *é muito importante. Você marcou uma hora?* Escapava-lhe um súbito tom de executivo, desta vez — patrão e empregado. Talvez como defesa pela vergonha, ou ridículo, do pedido, ela imaginou para desculpá-lo.

— Foi quando liguei para você, do táxi mesmo. Eu tinha esquecido do pedido dele. Nem levei a sério quando ele me mostrou aquele papel no primeiro dia.

Um espaço francês, quase um bistrô, ele disse sorrindo ao puxar a cadeira do restaurante, o que ela não entendeu imediatamente, *são quase mesas de quermesse*, pensou em dizer procurando a palavra, *messe, basar* — mas enquanto ele ajeitava as pernas transpareceu-lhe uma sutil contrariedade, talvez pela simplicidade do lugar, não há toalhas, o que deixou Beatriz ansiosa, será que errei na escolha? Mas a pequena tensão logo se dissolveu quando começaram a diversão de traduzir o cardápio diante da moça de avental branco perguntando o que iriam beber, bloquinho à mão; como não lhe prestaram atenção, ela se afastou. *Alcatrra?! Was ist das?* — e Erik franziu a testa. *Acertei na pronúncia?* Beatriz arriscou uma tradução, desenterrando as ruínas de seu alemão escolar: *Hinterheil?!* Ele fez uma cara engraçada e ela imediatamente ficou vermelha, o rosto queimando — *é minha síndrome de sensitiva.* Algum duplo sentido que ela não pegou, mas Erik gentilmente pousou por dois segundos a mão quente na sua mão fria sobre a mesa: *Ah, rumpsteak! Ja, ja!* — e fechou imediatamente o cardápio, questão resolvida.

Questão resolvida, foi o que ela pensou na praia, no dia seguinte, debaixo de uma depressão pesada, mais a dor de cabeça, o martelo batendo na memória, e o terror de que um dia o homem contasse à mulher a sua (deles, na verdade) vergonha. *Não é nada*, ela disse à Bernadete. *Só preciso tomar um banho de mar demorado e ficar um pouco debaixo do sol. Secar a alma. Você me acompanha?* Durante dias ela tentou racionalizar aquilo, mas desistiu, porque as linhas da equação moral no papel davam sempre num beco sem saída, como naqueles enigmas infantis dos almanaques da infância. *O que está me prendendo?*, ela se perguntava. Era preciso, apenas, *esquecer*. Bastava isto: *apagar*. Bernadete jamais ficou sabendo, e no entanto aquilo era nada: uma ceninha no escuro de um filme B. Um breve instante de esquecimento, que por uma química inversa agora ela não consegue esquecer. *Eu não estou acostumada com vinho, e ontem bebi muito*, ela justificou à amiga. *Foi só isso.* O homem estava incrivelmente bem-humorado no dia seguinte, assumindo alegremente o papel de tiozão diante das amigas da namorada, dando atenção a todas e a nenhuma em particular — *há uma perversidade secreta na relação deles*, ela imaginou, *toda perversidade é secreta*, corrigiu-se, *sem segredos a nudez resultante é insuportável*, tentando definir aquele estado de espírito, mas que era na verdade apenas uma tentativa insegura de autodefesa. *Não, obrigada, vou beber uma coca hoje*, ela disse, desviando os olhos, quando ele ofereceu uma cerveja inocente no churrasquinho da mesma varanda.

— Uma cerveja! *I'm in the perfect mood for a beer!* — alegrou-se ele depois que decidiram por uma alcatra para dois, *na verdade, para três, e ela sorriu, explicando: é imen-sa!* Ótimo, disse Erik, e ela pensou em perguntar como ele conseguiu manter a forma depois de largar o futebol, dizem que ex-esportistas de alto nível enfrentam problemas terríveis para se readaptar à vida normal, talvez fosse um tema interessante — mas a pergunta se esvaiu e ela olhou para as próprias unhas, vermelhas, bonitas, num segundo perdido de introspecção, um pequeno sopro depressivo. *Foi uma bela manhã, merece uma boa comemoração.* Sim, ela concordou, e voltou ao trabalho — mas temos de acertar a hora do terreiro. Minha amiga sugeriu o horário das cinco da tarde, hoje, só que bate com o encontro na Coordenação da Copa, aqui perto, Beatriz explicou, no momento em que ele deu um gole de cerveja e avaliou o resultado, *hmm*, balançando a cabeça lentamente, como um provador refinado, *não é ruim*, ele parecia dizer, mas apenas disse *A cerveja brasileira é diferente, mais leve*, e voltou imediatamente ao sorriso, como quem não quer se preocupar com bobagem, e a Coordenação da Copa pareceu-lhe outra bobagem, num dia tão bom e com a urgência do ritual em vista.

— *Boring...* aquilo vai ser chato! — e enquanto pensava no que fazer, abriu de novo o cardápio, momentaneamente agitado: — A carne de boi é incrivelmente barata no Brasil, se pensamos em euros, e Beatriz lembrou do trabalho atrasado. *O incrível paradoxo histórico é que o euro tenha se realizado na entrada do novo milênio, como expressão simbólica do maremoto globalizante que se sonhou [projetou??] em seguida à queda do Muro de Berlim — o chamado "fim da História" —, exatamente na contraonda da revolução prometida, sobre o retorno da maré. A moeda iluminista da cultura universal (na maquete experimental europeia) viu-se obriga-*

da a fincar suas raízes no crescente solo movediço das diferenças, quando, mais do que nunca, se revaloriza a nação isolada, a aldeia, a tribo, a facção, o bairro, a rua, a casa, até o mais íntimo delírio do ego, numa escala global, atômica e centrífuga jamais vista nos períodos de paz, domesticados pela ação civilizatória. Um bom assunto para conversar com Erik, como seria com Chaves, certamente? Até que ponto o tradutor tem o direito de cortar períodos longos do original em partes menores e mais imediatamente compreensíveis na língua de chegada? *Sexismo,* disse-lhe Donetti, só para espicaçá-la: por que "o tradutor"? A tradutora! OK, *the translator,* a pura ideia sem sexo, problema resolvido, e eles riram. *O mundo está enlouquecendo,* disse-lhe Bernadete. *Adoro ser mulher. Se eu me transformar numa lésbica e tiver um caso com você, você vai ser o homem. Tudo bem assim?* E elas riram. *Afetos não são gráficos, não funcionam nesta lógica,* talvez ela pudesse dizer, quase acrescentando *lógica masculina.* Afetos são *auras,* ela pensou em dizer — ocupam todo o espaço sem ocupar espaço, uma imagem que talvez pudesse fazer parte do seu ainda imaginário talismã do silêncio — o menino na praia —, mas isso ela pensou agora. Eu jamais seria um homem, ela concluiu, só para testar a ideia — eu não os compreendo. Imaginou uma tabela de oposições em algum almanaque pseudocientífico, as mulheres emocionalmente primitivas *versus* os homens irremediavelmente infantis — em que ponto da linha você está? Pediu licença com um sorriso — Erik pesquisando intrigado o pote de farinha sobre a mesa, *Gewürz?* — e foi ao banheiro. É uma dádiva estar de saia em banheiro de restaurante, ela pensou, fazendo um xixi meticuloso de modo a não tocar em praticamente nada, como sua mãe lhe ensinou décadas atrás. Viu-se ao espelho e gostou do que viu — *o Robert realmente acertou o meu corte de cabelo, é* preciso valorizar o rosto, você se escondia nos cabelos, *disse ele* — virando a cabeça de um lado e de outro. E ela hoje acertou na escolha dos brincos, a delicadeza do pequeno triângulo com a pedrinha, que, bem de perto — Beatriz aproximou-se do espelho —, tem o mesmo tom dos olhos, as estrias azuis. Estou bonita. *A escrava eslava,* e sorriu, lembrando. O Donetti é um pobre idiota. O decote também está bom, discreto assim. *Adequado para uma executiva,* ela diria à Bernadete, rindo — alguém que sente o instante em que vai mudar completamente de vida. *Foi nesse momento que você resolveu comê-lo?* — era para ser uma brincadeira, mas Beatriz sentiu um travo ruim na pergunta, a fissura milimétrica que às vezes escapa da mais profunda amizade como para nos lembrar, sempre, que estamos sozinhas. *Desculpe, Bea.* Acho que eu estou no meu limite emocional.

O elevador parou no quatro e duas pessoas saíram, o que aliviou o espaço e a pressão da sacola na perna. *Cuidado o degrau,* ela avisou sem pensar; os olhos baixos perceberam que o elevador havia parado fora de nível. *Uma hora esse aqui vai pifar também,* reclamou alguém. Seguiu-se um silêncio pesado, todos à espera de que a porta fechasse e pensando na frase *uma hora esse aqui vai pifar também,* que ficou no ar sem resposta. *Sim,* ela havia dito no táxi, depois de vacilar três segundos, olhos nos olhos: o momento sem volta. Várias vezes na vida ela viveu esses curtos momentos, que rasgam páginas, passam por cima, vão adiante — *o talismã do esquecimento,* ela testou: seria melhor que o talismã do silêncio? (*O perigo da literatura infantojuvenil,* alertou-a Chaves, mas olhando para Donetti, *é o* kitsch, *o sentimenta-*

lismo. Bem, como não ser sentimental com crianças? Essas coisinhas fofas? Dando-lhes a Bíblia ou dando-lhes Beckett? — e eles riram, exceto Donetti.) Erik segurou sua mão, inclinando-se levemente como um cavalheiro, assim que ela pagou o táxi, pegou o recibo e saiu: ainda era trabalho. E naquela segunda noite entraram juntos no hotel pela primeira vez, curiosamente sérios, pesadamente sérios, como que debaixo de uma inesperada formalidade — talvez, ela pensava agora, uma couraça social diante do momento, ou cerimônia, em que eles definitivamente *casavam*, avançando lado a lado pelo hall gelado naquele jogo feérico de espelhos, granitos, hóspedes semoventes, luzes, *boys* de bonezinhos e malas empilhadas, como um par de noivos em direção ao altar, *e de mãos dadas*, ela lembrou do detalhe, a delicadeza com que ele tocou e firmou sua mão sem olhar para ela, como um gesto natural, e depois, parados diante dos elevadores como diante de Cristo, ele conferia sério os numerozinhos acesos competindo no alto sobre cada uma das três portas, e calculava silenciosamente qual abriria antes, o algoritmo do acaso — ele estava nervoso, ela sentia a tensão nos dedos, que às vezes apertavam de leve, como um aviso secreto para tranquilizá-la.

Quando Beatriz voltou do banheiro e sentou-se de novo diante de Erik no restaurante, explicou a ele que se tratava da farinha típica da região, *Maniok-Mehl*, e ele sorriu, *ja, ja, mádioca*, e a conversa derivou para a geografia, e dali para o potencial turístico além da cidade, nas regiões próximas — ela lembrou o litoral, as cidades históricas, Paranaguá, Morretes, Antonina, a estrada de ferro, *mais de uma dezena de túneis, a paisagem é linda*, o Pico do Marumbi, talvez com um toque demasiadamente escolar (ela havia estudado pela internet esses tópicos na noite anterior, ao perceber o interesse dele por turismo, anotando algumas palavras-chave, *barreado, 1885, Serra do Mar, mata atlântica*), que ele ouviu com uma atenção apenas cordial, fazendo sim com a cabeça mas claramente pensando em outra coisa, ela imaginou, até que a palavra *Brasil* fez irromper a pergunta inesperada, de voz baixa, como quem tateia terreno minado que mistura futebol e pátria, *a presidente Dilma não é muito popular, não?* E antes mesmo que Beatriz se refizesse da surpresa, também ela tateando a resposta, insegura em achar algum ponto razoável entre a conveniência e a verdade (aqui, sou apenas uma secretária, ela estabeleceu como referência, *eu não estava ali como fiscal da ONU*, ela brincou com Bernadete, e uma frase antiga que ouviu voltou-lhe à cabeça, *nunca fale mal do Brasil para os estrangeiros porque eles não vão respeitar você*, mas a Dilma é o governo, não o país, ainda que). *Bem*, ele prosseguiu, sem esperar sua resposta, *as manifestações contra o governo, do ano passado, aquilo foi meio assustador, parece que esfriaram um pouco, não? Mas em São Paulo me disseram que durante a Copa...* Numa discussão política, assuma sempre um tom acadêmico, para esfriar o caldo, disse Chaves no jantar da Figueira, defendendo-se de uma observação um tanto agressiva de Donetti sobre a corrupção da elite brasileira, *a bem-amada de Lula*, um tom que parecia identificar Chaves com essa elite, mas o sorriso dele (*logo eu, pobre editor de livros?!*) desmontou a tensão que se armava sobre nada.

— Erik, o brasileiro ama demais o futebol para misturar as coisas. Não deve acontecer nada de grave durante a Copa — Beatriz disse, sorridente, que ele ficasse tranquilo, *embora eu mesma não estivesse muito tranquila*, explicaria ao Chaves, se mais tarde conversassem sobre isso. (A Copa vai acabar por destruir o governo Dilma, será o feitiço contra os feiticeiros, a pá de cal, previa Donetti.) E aquele *Erik* conciliador, seguido do impulso de lhe tocar o braço sobre a mesa, escaparam-lhe com um toque afetivo. *Se a primeira parte do silogismo de McGavvas é uma provocação retórica (a esquerda nunca deve ultrapassar 25% dos votos, que seria o ponto ótimo do equilíbrio das nações, a sua alma adolescente), a segunda é verdadeira, muito especialmente nos países periféricos que só conseguem se enxergar pela disparidade social: a teoria de esquerda não dispõe mais de uma política econômica propriamente dita, desde a monumental ruína do império soviético, tocado à mão de ferro, planos quinquenais, um psicopata com uma legião universal de seguidores fanáticos e muitos milhões de mortos; ela dispõe apenas (o que, é verdade, não é pouco) de políticas sociais e distributivas pontuais que se financiam sobre a base capitalista de produção de riquezas (em geral, no BRICS e assemelhados, já bastante esgarçada pelo incesto corrupto entre governo e empresariado). O problema é que o poder de esquerda (ultrapassada a nefasta fronteira dos 25%) inevitavelmente avança voraz sobre esta base com a intervenção brutalizante [brutal??] do Estado, num desastre que se alimenta permanente e prazerosamente de si mesmo, pelo inesgotável combustível ideológico extraído dos imensos fósseis culturais das nações economicamente arcaicas. Em muitos países, a cultura de Estado, cevada capilarmente no sistema educacional e adubada psicologicamente pelo escapismo utópico, cria um gigantesco e poderoso estamento de funcionários privilegiados e impérvios [impermeáveis??] à mudança; ela é de fato, no plano mental, uma das commodities [é isso mesmo??] inter-*

*nas mais importantes e indiretamente lucrativas que susten-
tam, e ao mesmo tempo paralisam, as máquinas econômicas
e políticas do governo, ao lado do petróleo, do milho, do trigo,
do cobre.*

Ele pousou os olhos nos olhos de Beatriz, como quem
avalia, também com otimismo, o otimismo da intérprete,
se você está tranquila eu também fico tranquilo, mas já era
outra coisa que o preocupava, desde que ela disse que a visita ao terreiro poderia ser hoje às cinco, mas: Eu estava
pensando — não seria melhor adiar a reunião de hoje no
Comitê para amanhã, sábado? Na verdade, não vai ser nada
importante, seria mais um... — ele procurou a expressão —
um *encontro diplomático*. E eu estou muito curioso para ver
a sessão no terreiro, que é na mesma hora, e enquanto isso
você vai me familiarizando mais com o potencial da cidade.
E, antes que Beatriz respondesse — iluminada pela ideia de
se livrar da reunião prevista, *que iria me roubar a companhia, aquele bando de políticos fazendo média*, ela explicou
a Bernadete com um sorriso incerto, *o Erik é — era — uma
presença boa, sabe alguém inteligente, de astral bom? Um
sopro de diferença, eu estava tão. Estou tentando entender.
Eu. Bem. —*, ele baixou a voz, devolvendo discretamente o
gesto cordial de Beatriz, agora ele tocando-lhe o braço: Será
que aqui eles servem — a palavra veio-lhe mastigada, com
medo de errar a pronúncia — *cachaça*?! E, sempre antes que
ela respondesse, ele estava momentaneamente agitado, sob
um sopro de euforia:

— Não é *caipirinha*, com limão. Essa eu já conheço, e
achei muito adocicada. A sofisticada ciência das bebidas leva
séculos para destilar, gota a gota, a pureza do sumo, e a primeira coisa que fazem é jogar açúcar nele. Um crime! Ele

riu, e acrescentou, como se fosse ela a estrangeira a ser dou-
trinada: Eu quero é a *purinha* mesmo, o puro destilado de
cana. *It's gorgeous! Herrlich!* E ainda antes que ela respondesse, surpreendida por aquela súbita animação de turista,
ele voltou a lhe tocar o braço, agora quase uma súplica: Você
telefona à Coordenação remarcando para amanhã? Ele tirou
a mão e olhou para o teto, jogando a cabeça para trás: Amanhã às dez horas. Voltou a olhar para ela, voltou a tocar-lhe
o braço: Não, não, não. Amanhã às onze! Assim temos tempo. E sorriu como um adolescente cabulando aula: *What do
you think?*

Eu não pensei nada, ela lembrou no elevador novamente
parado, como quem organiza a cabeça para explicar a alguém o que e quando aconteceu, batendo-lhe agora, como
um sopro de vergonha, a ambiguidade daquele "assim temos
tempo", que ela interpretou (se é que isso lhe ocorreu, a de-
simportância do detalhe) como tempo de trabalho, preparar
a reunião — o envolvimento afetivo avança por camadas
sutis de proximidade, ela teria de explicar, e às vezes por
estradas diferentes, caso a caso, que se tocam lá adiante.
Já são tantos assim?, brincou Bernadete. Você não viu nada,
e ela riu mais alto, embora um pouco em falso, avaliou
no mesmo instante, como quem força uma interpretação
que você sabe que é falsa, só para pular aquela parte. Lembrou do beijo na varanda, no escuro da praia, e imergiu
numa breve sombra, fechando os olhos. Você também quer?
— Erik perguntou, quando a moça de avental branco des-
tampou a garrafa, uma rolha caseira prosaica, e encheu um
pequeno copo, um *shot!*, animou-se ele (*aqui chamamos
"martelinho"*, ela explicou, *veja a forma do copo*, e ele admirou-se, *kleinem Hammer, ja, ja!*), de líquido amarelo, *en-*

velhecido em tonéis de carvalho, Beatriz continuou explicando, como se fosse especialista, depois de conferir o rótulo, *Eichenfässern*, ela acrescentou em alemão, mais como uma pergunta, o que ele confirmou feliz, *ja, ja, eu já conheço*, e ele fez à moça de branco um ramalhete com os dedos, num gesto praticamente brasileiro, *isso dá um sabor todo especial à bebida, a special taste and flavor*, e ela olhou faceira para Beatriz, à espera de tradução, *o que ele está dizendo?*, que turista engraçado, e ele, como para comprovar o que dizia, depois de contemplar a bebida contra a luz da janela avaliando a pureza do rubi delicadamente trêmulo atrás do vidro, bebeu-o de uma vez só.

As mãos dadas, brincando tímidas uma com a outra diante dos três elevadores, prosseguiram em silêncio, as duas cabeças erguidas tentando adivinhar qual elevador chegaria antes, descartado o da esquerda, há tempos estacionado no 13, enquanto os outros dois disputavam brilho a brilho, número a número, qual seria o mais rápido, e a vitória foi do centro, com um *plim!* e porta aberta, seguida um segundo depois pelo da direita, também com um *plim!* e porta aberta, ambos vazios. *Uma escolha*, ela pensou em dizer, como criança, *salamê-minguê, o escolhido foi você*, mas em dois passos já estavam dentro do primeiro, uma pequena câmera de espelhos entrecortados e luzes branquíssimas, e ele se atrapalhou um pouco para inserir o cartão do apartamento com a mão esquerda de modo a liberar o elevador e fazer o botão 18 acender ao pedido insistente do dedo indicador — porque a mão direita não largava Beatriz, que inclinou-se com delicadeza para ele apoiando a cabeça nas suas costas, como um casal que vive junto há muitos anos voltando para casa, ambos cansados de uma festa longa mas agradável, *foi ótimo você adiar a reunião para as onze horas, assim pode-mos dormir mais*

Eu não sei em que momento começou, ela explicaria à Bernadete, que se serviu de mais bebida. Para você é sempre um... momento?! — É que eu sou uma romântica, respondeu a amiga, dando um gole de vinho. Assim, quer dizer, eu acredito naquele *tchan!* em que cai a ficha e você se apaixona de estalo, para sempre — e ela riu. *Não sou do tipo que se apaixona,* Beatriz pensou em dizer, mas seria só uma frase de efeito; *a minha vida não funciona mais com essa lógica,* ela poderia acrescentar, talvez mais verdadeira. Foi com uma espécie de graça, uma leveza mútua — se houvesse um *felicitômetro* no mundo, naquelas horas da manhã seguinte, sábado, quando fomos ao Centro Cívico e entramos no prédio da Prefeitura para a maldita reunião adiada, eu estaria no grau máximo de felicidade, e elas riram; o que é engraçado, porque parece que, para a cultura feminina (ela evitou dizer *para a mulher*), a felicidade é um ambiente de que se nutre a alma, quase que uma segurança espacial garantida por uma amarração complexa de sentimentos (*acho que estou muito influenciada pelo Xaveste,* ela diria ao Chaves, *aquela retórica dele, aquela frase sem fim contamina a gente,* e ele concordou, *a linguagem pega*), para nós a felicidade é um *estado de vizinhança,* enquanto que para a cultura masculina a felicidade é uma *coisa,* algo concreto e palpável. As duas ficaram em silêncio — Beatriz não estava satisfeita com as próprias palavras. *Eu penso uma coisa, e ao falar, sai outra.* Vou dizer de outra forma, ela acrescentou, mas desistiu: *não sei. Polaridades primitivas — capitalistas x socialistas, ateus x cristãos, árabes x judeus, homens x mulheres, esquerda x direita, cruzados x infiéis, num esquema que se reproduz em espelho milimétrico até os culés x merengues* [??], — *os uns e os zeros que enquadram com violência a sofística emocional contemporânea, são a base do relativismo tático que alimenta a esquerda genérica mundial, do professor finlandês, preocupado com o derretimento da calota polar, ao funcionário boliviano defendendo a expansão do plantio de coca em apoio ao poder indígena. O resultado — especialmente no difuso e omnipresente ambiente digital que molda as consciências morais em meio à explosão de fragmentos desprovidos de sentido — vem sendo o enterro espetacular da razão política moderna. Os movimentos* [ondas — olas??] *do terror islâmico, no seu limite, são a outra volta do parafuso: seja feita a minha vontade, assim na Terra como no Céu, a qualquer preço e pescoço, até a última bala. O mais completo arbítrio do indivíduo é também a pulverização final do próprio conceito de indivíduo como entidade organicamente comunitária. Nesta implosão metafórica de Luís XIV, cada cabeça, um Estado — eis a impressão em 3D da holografia mental da internet.*

Ao subir a rampa suave do prédio onde o táxi os deixou pontualmente às onze, *estamos atrasados*, ela pensou, agora despreocupada — a manhã agradável, poucas nuvens no céu, a brisa fresca de um verão tranquilo — Beatriz viveu essa sensação de *felicidade*, alguém sob efeito de drogas (e elas riram do lugar-comum da imagem, a simpatia da ideia, *o amor é uma droga*, o encontro tranquilo do bem com o mal), uma sequência de impressões fortes que parecia chegar ao máximo exatamente naquele momento. *Isso vai se perder*, eu cheguei a pensar, a picada pessimista de sempre, mas não me preocupei; eu acho que, no fundo, eu estava de fato virando mais uma página — Erik era a minha nova *tabula rasa*. Eu o estava usando exatamente para esse efeito, ela pensou, como quem conclui com brilho uma equação difícil, e a ideia provocou-lhe um sorriso discreto no elevador ainda lotado e parado no quinto andar (*Não está descendo?* perguntou alguém apertando de novo o botão e abrindo de novo a porta), de volta ao *lar*, nesta segunda-feira discretamente melancólica — a conclusão que tem o poder misterioso de refazer o tempo e modificar para melhor o passado, e ela devaneou, *o que o Chaves, meu próximo capítulo, diria disso?*

Uma pequena revoada engravatada de vereadores e representantes se aproximou deles, *Seja bem-vindo, Mr Erik!* — e fez-se uma roda alegre que logo se moveu em direção a uma sala de reuniões um corredor adiante, *Está gostando da cidade?*, e Erik olhou para ela, que traduziu a pergunta, e ele abriu os braços para o anfitrião numa demonstração de alegria que não precisou ser traduzida, *ja, ja, beautiful Curitiba*, Erik tateando nomes em português, *Jardim Botánico, Óperra do Arrame*, que falavam por si sós, e em seguida, sério, desculpou-se por ter transferido aquele encontro para hoje pela manhã, *yesterday afternoon it was impossible for me, I'm so sorry*, Beatriz traduzindo igualmente séria cada palavra e entonação, *espero não ter causado nenhum transtorno*, uma desculpa muito bem recebida, nenhum problema, este é só um encontro de boas-vindas, e ela chegou a ouvir uma pergunta perdida entre dois senhores de terno, o desapontamento, *Mas não era para vir o Jérôme Valcke?*, e Beatriz apurou o ouvido para escutar a resposta cochichada não tão discreta *Não, o chefão só vem em abril, para confirmar o jogo-teste de maio* — esse aí deve ser um espião da FIFA; e todos sorriam para Beatriz, a simpática intérprete ao lado, como para um poste igualmente bem-vindo, simples e elegante na sua saia azul (mas súbito picada pela angústia, *pareço uma hippie*, dois dias com a mesma roupa, saindo daqui eu —) e atentíssima a cada palavra do breve discurso de recepção do representante do prefeito, que infelizmente não pôde vir, mas que desde já colocava a cidade à disposição para o que fosse preciso.

— Beatriz! Que surpresa!

Era Julinha, ex-colega de faculdade, que, trocando beijinhos, arrastou-a de lado. *Pois eu saí das letras e acabei fazendo comunicação, atrasada, mas já defendi meu TCC e agora estou estagiando na* Gazeta. *Não me diga que você está trabalhando de intérprete da FIFA, e eu não sabia?! Que maravilha! E eu com uma fonte dessas!* — E elas riram, Beatriz já sentindo o perigo e tateando uma defesa, *Eu sou só intérprete, não sei nada.* — *Pois ontem fiquei plantada aqui até me contarem duas horas depois que o homem só viria hoje. Se eu soubesse que era você que...* Alguém aguardava Beatriz com um sorriso fixo, *por favor, a senhora poderia*, e a cinco metros ela percebeu o olhar de Erik pedindo socorro — ao seu lado, um senhor severo explicava detalhadamente coisas impressionantes e incompreensíveis, acompanhadas de gestos precisos de mãos e dedos. Julinha segurou a mão dela antes que escapasse, *Podemos conversar daqui a pouco?!* — Sim, sim, é claro! — *Eu estava descrevendo a ele justamente o potencial turístico de Curitiba, a senhora poderia traduzir, por favor? Ah, yes, he was just talking about Curitiba's touristic resources.* O jornalismo — lembrou Beatriz, com uma sombra de aflição na alma *(mas por que estou preocupada?! Não há nada, ou quase nada, a esconder. Esconder a sessão no terreiro? O resto é vida pessoal).* — O jornalismo é uma das poucas coisas que ainda funcionam no país; sem ele, aí sim, adeus Brasil, dizia Chaves, num tom que lhe escapou um tanto sentencioso, como se ele fosse mais velho do que realmente era, o que o gesto concomitante, algo solene, de chamar o garçom parecia confirmar, mas, antes que ele voltasse o rosto aos convivas sob a sombra da figueira, Donetti já bombardeava, *Temos um jornalismo de merda*, num tom que pareceu forte mesmo a ele — suavizado em seguida, como quem faz a própria réplica com voz mais baixa, *Chaves, o jornalismo que temos é só o retrato do país, somos um país dolorosamente inculto, corrupto e pobre, todos dependentes da máquina do Estado.* Chaves demorou um pouco a responder (*mas, afinal, o que ele quer dizer, qual é o argumento?*, ele parecia matutar), olhando para Beatriz, depois voltando-se a Donetti, o garçom imóvel ao lado, e Beatriz fantasiou que a atenção da resposta (Donetti indócil, aumentando meio tom de fúria a cada nova fala) era em respeito a ela, não a ele, *Você tem razão, Donetti, mas não dá para cair na teoria conspiratória universal. A utopia da esquerda, que nunca tem chão, principalmente no Brasil, num momento delirou que estava no poder, que Lula é o Nosso Pastor e que nada nos faltará. Bastou ele estalar os dedos e dizer "Fiat Dilma" para a vasta boa consciência brasileira decidir que estava diante de uma estadista maravilhosa e defendê-la até o último voto. Anote aí: ela vai ganhar de novo. O Brasil ama perdidamente o Estado. Se num passe de mágica a abstração do Estado se transfigurasse numa única pessoa em carne e osso, seria ela,* e Chaves deu uma risada da própria imagem.

Mais uma cerveja, cortou Donetti ao garçom, que, impávido, anotou o pedido após dois segundos de vacilação, como se esperasse uma confirmação de Chaves. *E enquanto isso o governo leviatã vai acalmando ONGs, sindicatos, facções, pobres, oligarquias e partidos com a distribuição de milho, quirera, linha branca, carros, arenas, milagres e propinas. Aliás, muita propina* — e ele sorriu de novo, diante da carranca de Donetti, que, meio a contragosto, ainda insistia: Mas você acha mesmo que não houve *nenhum* avanço social no período Lula? Em nenhuma área? Em nada? Aquilo estava chato, e Beatriz bocejou sem disfarçar o gesto. Chaves baixou o tom, já querendo mudar de assunto, mas ainda relutando a largar o fio, impaciente. *No período Lula houve crescimento econômico, é claro; o problema é que nos últimos trinta anos o Brasil saiu do mato para a cidade sem saber ler nem somar, e continua assim, o celular e o tacape andando juntos. Quer dizer, já é mais tacape que celular.* Donetti suspirou e sorriu enfim, contemplando o copo de cerveja — a menção aos trinta anos parecia um pedido genérico de paz, *vamos mudar essa merda de assunto*, e ele tocou a mão de Beatriz sobre a mesa, tenso e fatalista: *Sim, é todo um processo histórico.*

Talvez naquele exato momento ele tenha sentido que estava me perdendo, Beatriz imaginou num lapso, pouco antes de o Conselheiro (ele é mesmo conselheiro de quê?, perguntou Beatriz a Julinha, como se fosse ela a jornalista, e não o contrário) começar o seu breve discurso naquele instante informal em que garçons entravam com salgadinhos e bebidas, circulando gentis entre os convidados à recepção, já em bom número, *Só me diga, ele é jogador de futebol? Alguém me disse que*, e Beatriz cochichou, *Ele foi lateral do Basel, e chegou a jogar com os irmãos Schweinsteiger*, acrescentou sem saber bem por quê, juntando os cacos da memória como quem entrega uma importante informação de cocheira para uma aprendiz, agora sorridente, *Obrigada, querida, Xuáis... como se escreve?! Você me passa por e-mail? Ó, meu cartão* — e Beatriz, temendo parecer brusca (Eu estava insegura, a felicidade da manhã se esvaindo por pura neura, dois dias com a mesma roupa, me sentindo mulambenta naquela recepção com todo mundo paramentado, é uma sensação tão... e Bernadete achou graça, *Mas é mesmo horrível, não?*), se bem que ninguém vê um intérprete, são figuras invisíveis, sombras, acrescentou, e além do mais o Erik é só terceiro escalão, um assessor do Jérôme Valcke, da área de marketing, nada importante. *Ele me daria uma entrevista?!*, tentou Julinha, *duas ou três perguntas sobre a Arena, eu posso passar por escrito*, mas Beatriz já estava meio passo atrás de Erik, traduzindo-lhe o discurso do tal Conselheiro em voz baixa, *In this moment, when Curitiba is one of the most important host cities*, e ela lembrou do *ex-jogador*, depois do amor (*o primeiro e demorado amor*, ela havia cantado mentalmente, como uma letra simples de música), a mão tateando-lhe o joelho ossudo e logo abaixo encontrando a longa cicatriz que se desenhava caprichosa na ponta dos dedos, avançando irregular entre os pelos ralos da perna, *o que é isso?*, os dois se olhando próximos, cabeças no mesmo travesseiro, um cansaço relaxante, respirações profundas e lentas, *é minha perna quebrada e o fim da minha glória de futuro maior lateral direito do mundo desde Garrincha*, e ele sorriu, *tem um pino de aço aí. Às vezes apita no aeroporto. Sou um Frankenstein*, e ela disse, não, *não é, Frankenstein é o cientista que criou você, você é apenas um monstro miserável e sem nome, uma criatura enlouquecida, um ser descontrolado e de pinos soltos, um* — e ele interrompeu-a com um beijo, e outro, e mais um, e recomeçaram, *e outros mil e mais um*, ela pensou lembrando o poema.

Quando ele viu a peça de alcatra — *ao ponto, como vocês pediram*, disse a moça, mais com jeito de parente do dono do que de garçonete, como todos que ali atendiam; se mais tarde precisarem aquecer, é só dizer — depositada na mesa como uma oferenda pagã, Beatriz olhava para Erik, e não ao prato, à espera do que ele diria, *terei acertado na sugestão?*, e depois de dois segundos de um espanto simulado ele disse, *Mas é enorme!*, e abriu um sorriso, e ela sorriu também, *Let's dig in!*, pegando os talheres, o cheiro da carne era uma presença impregnante e inebriante, *Eu estava salivando de fome*, ela contou, e Bernadete riu, *Você é que está me deixando com fome só em contar*, veja só essa gordurinha, e ele cortou um pequeno trecho da carne selada que soltava um fio de sangue por dentro, perfeito na ponta do garfo, depois entre os lábios, os olhos fechados, o balançar da cabeça, a lenta e consistente aprovação, *hmm, mas isso é...* e a palavra, inefável, não lhe vinha, até que ele acordou-se daquele egocentrismo faminto de criança e se lembrou de mim e se ofereceu impulsivo para me servir, *Please*, desculpe, eu fiquei tão... que... — e eu apenas admirando-lhe os gestos, feliz pela felicidade dele, e ele cortou um bom pedaço e colocou-o no meu prato, dizendo *danke sehr*, como se a gentileza fosse minha, e não dele. *Experimente com a farinha*, eu disse, e ele obedeceu imediatamente, *ja ja*, e muito da felicidade dele ao se entregar à carne parecia nascer mais do adiamento do encontro informal com a Coordenação da Copa em Curitiba do que de outra coisa, *Sim, agora podemos enfim conversar à vontade*, ele disse, como se não tivéssemos feito outra coisa desde que ele desceu no aeroporto; *temos agora uma boa tarde de des-*

canso. Num momento ele pousou os talheres e me olhou nos olhos, repetindo, gentil: *Danke sehr. Você é uma companhia maravilhosa.*

Como ele era? — e Beatriz parou para pensar na pergunta de Bernadete. Engraçado eu já falar no passado, tão cedo assim. Ele foi um cometa, um belíssimo cometa e um grande filho da puta — e elas riram. Melhor rir mesmo. Eu estava intrigada com a história do terreiro, a insistência dele em visitar um terreiro de umbanda. Eu ia perguntar em seguida, mas ele voltou para a política, ao modo dele, mais *pragmático*, ou puramente *descritivo*, se é que se pode lidar com a política assim, o contrário total do Donetti ou mesmo do Chaves e de todo mundo que eu conheço: *A Angela Merkel é muito admirada na Alemanha. E você sabia que ela ama futebol? Adora ficar ouvindo jogo no Bundestag enquanto trabalha. Uma vez ela assistiu a um jogo ao lado do Schweinsteiger — eu já contei a você que ele é da minha cidade?* Era engraçado: ele falava isso com o tom divertido e admirado de uma criança. Uma criança antiga. Crianças antigas achavam presidentes o máximo do *tchan,* e Beatriz sorriu — lembrei do meu pai, falando da vassourinha do Jânio Quadros, que as pessoas botavam orgulhosas no peito, vamos varrer a corrupção do Brasil! Ele era tão amado quanto o Carequinha, um palhaço famoso da época, meu pai me contava. *Mas, sendo representante da FIFA, você não pode torcer para a Alemanha nem para ninguém, certo?* — eu provoquei num momento, e ele deu uma risada feliz. *Oficialmente, não, é claro,* e então ele completou, depois de outro pedaço visivelmente saboroso de carne, uma breve pausa de olhos semicerrados, e baixou a voz, como um grande conspirador confessando um estratagema, *mas eu também sou um ser humano, certo?*

É um modo engraçado de definir um ser humano, e Bernadete deu outro gole de vinho, sorridente. Num instante, continuou Beatriz, imaginei Dilma Rousseff assistindo a um jogo ao lado de Neymar ou Ronaldo (o Ronaldo está jogando ainda? — e Erik fez um *nein! nein!* quase irritado pela minha absurda ignorância, só o *Ronaldinho, que é outro jogador, mas esse já não é mais o mesmo faz tempo, a idade pesa.* E brincou, tocando na minha mão sobre a mesa, gentil: *Será preciso um alemão para ensinar futebol a uma brasileira?!*), mas alguma coisa não fechava na imagem, a sensação de que os europeus vivem debaixo de uma *normalidade* simples que nos é completamente inacessível, o Brasil é inteiro *torto*, mas isso eu não disse a ele, apenas disse convencionalmente que — quase eu disse de uma vez a verdade, *ela seria vaiada de uma forma ensurdecedora durante uns trinta minutos mortais* — a presidente não arriscaria porque é ano de eleição e o gesto de ser vista em campo com jogadores famosos, nesse momento, com certeza seria mal interpretado, o que me pareceu uma forma elegante de fazer diplomacia caseira, e Erik no mesmo instante ficou sério, percebendo o terreno discretamente minado da autoestima nacional, *ja, ja, ich verstehe, compreendo, as pessoas falam,* como se tudo não passasse de um mexerico de vizinhos, *na Alemanha também acontece isso, às vezes, manchmal, ja!, você compreende bem alemão,* animou-se ele, e eu fiquei pensando se aquele *às vezes* acrescentado depois de uma pausa era uma pequena patriotada para rebater a minha, e Bernadete riu, *meu Deus, como você é maluca, não escapa nada!* E ele voltou teimoso ao tema, só que o eixo dele era mesmo a Copa — *Você realmente acha que não haverá manifestações durante os jogos,* me perguntou de repente, o garfo no ar, como se, me pegando desarmada, eu fosse entregar a verdade, a pitonisa da Copa, e Bernadete riu. E eu tirei meus óculos da bolsa, nem sei bem por quê, acho que só para ganhar tempo, o assunto era realmente sério para ele. *Você fica tão querida com esses óculos. Parece uma menina escritora!* — e Beatriz achou graça, realmente surpresa com a ideia, você acha mesmo?! Só falta escrever de verdade, Bernadete. *Isso mesmo! Para deixar o Donetti bem irritado. Não é isso que você quer?*, e a amiga riu. Não, não. Não. Nada disso. Quero deixar ele em paz. E principalmente que ele me deixe em paz. E Beatriz lembrou do talismã do silêncio, o céu azul, o menino na praia — descobrir uma primeira frase, e a ideia espicaçou-a com um pequeno surto de otimismo. Eu penso em literatura infantil, quem sabe. Sim, mas prossiga. Bem, botei os óculos, acho que para ficar com cara de intelectual e dar mais peso ao meu comentário, e Beatriz sorriu.

— Eu acho que haverá mesmo manifestações. Mas aquelas coisas de sempre, pessoal com bandeiras, palavras de ordem, abaixo a corrupção, abaixo a FIFA, fora Dilma, o de sempre. Nada que arranhe o mínimo a organização. Meia dúzia de "gatos-pingados", *just a few guys...*

— *Ja, ja*, os idiotas de sempre — ele deixou escapar. Mas o medo do apocalipse começava insidiosamente a assombrá-lo: — Você imagine se, num dia de jogo, uma manifestação se aproxima do estádio e destrói as roletas de entrada e todo o aparato de recepção, a organização de filas, os leitores ópticos. Aquele casal de turistas que veio de, sei lá, *wo auch immer*, Hamburgo, Miami, Tóquio, Roma, todos com o ingresso FIFA nas mãos e a máquina fotográfica no pescoço, e a cavalaria avançando, as bombas de gás lacrimogêneo, os jatos d'água... eu não quero nem pensar. O caos no dia, as centenas de feridos (sem falar dos mortos, aqui vocês parece que matam gente todo dia, é impressionante o noticiário, não é?), os processos judiciais depois, são bilhões que estão em jogo, futebol não é brincadeira. — Para que eu não imaginasse que ele estava louco, aproximou a cabeça de novo, agora como um conspirador adolescente: — Eu vi na televisão o que aconteceu nas ruas do Rio e São Paulo faz pouco tempo. Parecia uma... uma revolução! Isso correu mundo. A minha irmã me contou que... — e ele suspirou, como que num esforço para esquecer ou mudar de assunto, que no entanto não o abandonava, ele precisava concluir: — Sem falar que — e aquilo, o poder das imagens que ele mesmo desenhava na cabeça, tirou a fome de Erik, e ele largou os talheres. Mas, de fato, só havia sobrado o osso em *T* sobre a travessa. Ele olhou para mim como quem começa a acordar de um breve pesadelo, quase como quem não me reconhece, e estendeu a mão, colocando-a sobre a minha mão pela terceira vez naquele dia, agora um gesto lento: *Você está de óculos? Eu não havia notado.* Nem ele tirou a mão dele, nem eu a minha, olhos nos olhos, mas era apenas uma inspeção estética: *Você também fica bonita de óculos. O aro de metal, e o formato oval, parece que... dão transparência.*

— Esqueci os óculos — soprou Beatriz no elevador ainda lotado, para si mesma, num impulso irritado, e sorriu para a vizinha colada a ela, que levantou a cabeça ao escutar aquele resmungo quase inaudível. Estava na bolsa e eu tirei um único momento para acompanhar o noticiário enquanto ele tomava banho, e na volta, eu — a mão tateando a mesinha ao lado atrás de um espaço para os óculos enquanto ele — *Vou ter de voltar ao hotel,* ela pensou, outra irritação, agora silenciosa, em mais uma parada do elevador, agora no sétimo andar, dois números primos dão 14, eu poderia ter dito, a metade do caminho, e a sensação ruim se dissolveu. É claro que eu tenho de voltar lá para acompanhá-lo, ele viaja hoje à tarde e eu nem fui demitida nem me demiti. Por um momento, imaginei... *apagar o final de semana, não foi isso? Às vezes me dá esse desejo,* disse Bernadete, *apagar o tempo; simplesmente dizer "isso não aconteceu", como naquelas comédias românticas, e de fato a coisa desaparecer da memória.* Beatriz pensou um pouco: Sim, às vezes, e como que sentiu novamente a brisa do mar na varanda e... aquela lembrança, o azedume corrupto da transgressão, aceitar o abraço (de certa forma, provocá-lo, eu não fui uma vítima), isso eu vou acabar esquecendo, vai virar pó. — Mas agora não era o caso. Eu amei cada segundo deste final de semana. Não quero esquecer. Alguém tão completamente diferente de mim, e um estrangeiro, o detalhe sempre engraçado — os estrangeiros nos dão uma estranha liberdade, um sentido fugaz de transcendência, como se não estivéssemos para sempre amarrados aqui. *O inferno africano é a consciência pesada do Ocidente, fugindo do Hades de origem em barcos [buques??], embarcações lotadas de miseráveis produzidos e expulsos pela nova barbárie, agora sem um Dellac Delacroix para envernizar o cruzamento colorido do milenar idílio rural — cabras, pedras, orações — com o exército de Raskolnikofes nikoffs digitais maometanos, armados de metralhadoras e da mais clássica cegueira milenarista: não se representa a figura humana porque ela não deve existir.* Não, somente a transcendência miúda, a do limite cotidiano, ando impregnada de Xaveste — num momento, a partir de uma observação sobre a penetração universal da FIFA, Erik falou da "questão africana", do quanto seria importante criar condições dignas de sobrevivência nos próprios países de origem, de modo a evitar aquele êxodo medonho que parecia revelar o pior da Europa, que é o medo, mas foi como que um efeito secundário do que ele dizia — ela não lembrava mais exatamente se foi no jantar de quinta ou no almoço de sábado (a mão pela terceira vez sobre a sua, o comentário tranquilo sobre os óculos, *também fica bonita*, ela anotou o *também*) — sobre o futebol, *o futebol exerce um papel sociopolítico muito mais importante na vida dos países pobres do que imagina nossa vã filosofia* (não, esse arremate eu que inventei agora, ele não enfeitou a frase). Em suma, ela diria à Bernadete, talvez ao Chaves — e o coração bateu um pouco mais forte no elevador parado, *com licença!*, e Beatriz encolheu-se mais, dando passagem ao menino que abria caminho entre pernas com figurinhas da Copa na mão —, o Erik é obviamente uma pessoa socialmente culta, ele me disse que tem um MBA em administração, algo assim, eu não entendi direito, ou talvez ele tenha só inventado aquilo quando eu contei (um momento de fraqueza, essas coisas não se dizem, guardam-se com a gente até que tenhamos o que mostrar — mas eu não diria nada assim, é claro) que, além de tradutora, eu queria ser escritora, e ele ficou surpreso: *Really?* Escrever, ele disse, olhando o teto e segurando minha mão debaixo do lençol, bateu o friozinho do ar-condicionado e nós nos aconchegamos um no outro, nossas pernas davam certo, ele disse "escrever" e fez uma pausa, como se pensasse pela primeira vez naquilo, "deve ser muito difícil". Pensou um pouco mais e acrescentou: "Tenho alguma facilidade para línguas, não tanto quanto você, *professoressa*" — e ele tocou de novo na minha mão, ele era sempre muito gentil — "mas não para escrever. Todos os relatórios que tenho de fazer são trágicos para mim, me deixam em pânico, mas tenho uma boa secretária em Zurique", e eu senti uma pontada ridícula de ciúme, como se eu já não soubesse desde o primeiro momento, aquele cuidadoso *Você não quer subir?* que ele ofereceu no táxi, meio minuto antes de chegar ao hotel, justamente para não me dar muito tempo de reflexão (não; isso é bobagem; é impossível eu explicar as razões matemáticas de todos os pequenos gestos que me acontecem), como se eu já não soubesse que a nossa relação teria uma vida fulminante e curta e era exatamente assim que deveria ser para a felicidade geral de todos.

— Mas você não pensa, às vezes, em ficar com alguém para o resto da vida? Eu... eu não sei, mas eu me acho meio bobinha, meio *romântica*, e Bernadete riu. *Sim, eu penso,* mas eu apenas fiquei pensando, insegura, sem dizer, e Beatriz deu um gole de vinho. *Parece que eu preparo sempre cuidadosamente minhas próprias armadilhas,* ela disse. Mas, Bernadete, acredite: eu nunca estive tão bem na vida quanto agora, e ela sorriu — *isso* é verdade. Mas é porque agora o ciclo amoroso recomeça, com Chaves, ela quase acrescentou, lembrando-se dos subentendidos da última conversa entre eles, e agora, no elevador, o envelope com o último texto de Donetti, o início de sua *obra-prima*, que ele me arremessa em desespero como uma derradeira boia de salvação, *eu valho o que eu escrevo, quem sabe assim, ela* —

Beatriz brincou com a pontada de ciúme, para chamá-lo a si, como dois cãezinhos divertindo-se emaranhados: *Secretária?* Ele — o *alemão*, ela diria, se contasse, como uma graça a mais — olhou sério para mim, olhos nos olhos, a respiração muito próxima, tentando entender aquela pergunta que vinha com um sorriso ambíguo, e, quando finalmente entendeu que a pergunta era a manifestação de um ciúme, e quase no mesmo instante, um segundo depois, que era apenas *a simulação* de um ciúme, um pequeno lance do jogo afetivo para aproximá-lo ainda mais, duas cabeças no mesmo travesseiro, ele abriu um sorriso que virou risada: *Ja, ja! Se você visse por um minuto a dona Gertrud e seus cinquenta anos de FIFA*, e seguiu-se uma risada. *A pele*, pensou agora Beatriz, *é o segredo, a sombra de melancolia que nos persegue*, ela acrescentou mentalmente, como quem testa um verso, *não é um alexandrino, uma sílaba a mais, a cesura errada*, mas no momento eles apenas se beijaram novamente, e foi bom.

— Tudo resolvido — eu disse, decidida como uma boa secretária, e desliguei o celular: a reunião na Coordenação vai ficar mesmo para amanhã às onze, e era como se nos tornássemos cúmplices de uma travessura saborosa. — E hoje às cinco — e eu conferi o relógio, duas e meia ainda — vamos ao terreiro. Você verá *in loco* uma das expressões do sincretismo religioso brasileiro na sua exótica expressão curitibana, eu disse, mas aquele meu humor para uso próprio soou apenas como a fala mecânica de uma guia turística.

— *Danke sehr* — mas ele parecia não me ouvir; cabeça baixa, contemplava absorto o *T* no meio do prato, como um ex-faminto feliz mas enfastiado, uma espécie de *comi demais* parecia estar prestes a sair de seus lábios quase como um lamento, mas provavelmente era em outra coisa que ele pensava, a pequena obsessão que ia e voltava. Mais uma vez a mão sobre a minha, mas agora nitidamente apenas um gesto cordial de amigo, e, como se ele custasse a me reconhecer de óculos, sondou com gravidade: Posso fazer uma pergunta íntima? O que intimamente me assustou, porque a sondagem parecia *objetiva* demais para o terreno afetivo em que eu imaginava estar entrando. *Claro*, eu disse, e acrescentei, precavida, *eu acho que sim*, quase sem respirar, à espera.

— Em quem você vai votar para presidente?

— Não sei ainda — Beatriz respondeu, sentindo um sopro ambíguo de alívio frustrado. Mas não estava mentindo. Quase acrescentou, para preencher o breve vazio que se seguia, *talvez eu anule meu voto*, a síndrome de Pilatos que era o mantra escorregadio dos períodos de eleição, *esta corja de filhos da puta*, como diria Donetti, mas preferiu ficar quieta. Como o silêncio prosseguiu, e o olhar de Erik parecia aguardar uma resposta, ela disse neutramente, num tom de quem quer mudar de assunto, *a situação está ainda muito confusa, parece que os três candidatos principais têm chance.* Mas ele insistia: Você acha que há alguma possibilidade de a Dilma Rousseff *perder* a eleição?! *Sim, é até bem provável*, ela quase disse, tentando pensar objetivamente, mas acabou dizendo o contrário, num impulso:

— É pouco provável.

Talvez eu estivesse apenas querendo tranquilizá-lo, se bem que, para ele, ou para a FIFA, não faria a mais remota diferença. Eu queria perguntar a ele sobre a isenção de impostos da FIFA, cochichou-lhe Julinha, que apareceu ao seu lado como que do nada, num momento em que por dois minutos Erik se afastou de Beatriz (*Bitte, die Toilette?*, e alguém imediatamente apontou-lhe um corredor). Todos os empreendimentos da FIFA aqui no Brasil são *tax free*, você sabia? É parte do acordo com o país-sede. Eles não pagam imposto nenhum sobre nada. Será que ele faria algum comentário sobre isso para mim? Uma frase só que fosse! *Julinha, essa não é a área dele*, eu respondi em voz baixa — aquilo parecia um terreno minado. Caramba, eu tinha passado a noite com ele. A FIFA que vá plantar batatas e a Julinha que me deixasse em paz. *E qual é a área dele?*, insistia ela. Eu não sei direito, sou só a intérprete, eu disse, suspirando — qualquer coisa que eu respondesse prolongaria a conversa em direção ao lugar errado. Baixei a voz, simulando conspiração: Julinha, ele me disse expressamente que não queria dar entrevistas a ninguém. Nem pode — ele é apenas um assessor da área turística. Cada frase que eles falam à imprensa vira um tiroteio durante dias. Depois eu ligo pra você e conto sobre o trabalho dele em Curitiba. Ele só veio conhecer a cidade. (O que não era, exatamente, uma mentira.) Julinha olhou Beatriz sem disfarçar um toque de frieza, como quem sente cair a ficha — era apenas uma ex-amiga, dispensando-a por inconveniência. *Obrigada*, ela disse, o sorriso dúbio, que se dissolveu com a ideia de avançar até o corredor e talvez pegá-lo desprevenido e só, à saída do banheiro, para uma pergunta à queima-roupa, mas Beatriz enganchou-lhe o braço antecipando-se ao plano e caminhando com ela. *Mas me conte, como está a vida de jornalista?*

— *Well* — ele parecia satisfeito com a perspectiva de Dilma ser reeleita, mas talvez ainda mais com a alcatra que acabava de devorar. — Carne maravilhosa, sorriu em seguida. Indeciso entre pedir ou não uma sobremesa, deu um último gole de cerveja e decidiu-se pelo pudim de leite. *O que é "pudim"?* E voltou ao trabalho: Temos ainda um bom tempo até a hora do terreiro, não temos? Sim, expliquei — e estamos perto de tudo aqui: a Ópera de Arame, o Parque São Lourenço, o Parque do Papa, e Beatriz lembrou-se da visita do Papa, milênios atrás — foi uma comoção na cidade, sua mãe lhe contou, e o pai fazia um muxoxo, *Ora, o Papa! Grande coisa!* Há uma forte presença polonesa em Curitiba, pela imigração, ela explicou, deixando escapar um tom de guia turístico, de que gostaria de se livrar. Isso deu um *jeito* diferente à cidade, ela disse, já buscando um modo de explicar o que seria isso, se ele perguntasse, *vocês são engraçados*, dizia-lhe Donetti, sempre querendo dizer exatamente o contrário, mas Erik foi em outra direção, quase com um toque patriótico de reprimenda, uma ênfase corretiva: *Mas os alemães também vieram para cá, não vieram?!* Sim, claro. Há quem diga que Curitiba é uma cidade secretamente alemã, e ela riu. Mas olhe para as pessoas em torno, Beatriz acrescentou, com outro sorriso: — É igualzinho ao Brasil.

E ele olhou mesmo em torno, literal e obediente, o restaurante lotado, uma presença mais popular e informal do que a do jantar de ontem. *Vocês são um país mulato*, ele disse, testando em português a palavra *mulato*, e o som como que brilhava nos seus lábios, algo raro e precioso como um índio sem contato com a civilização. Talvez a palavra fosse forte demais, ele suspeitou, e acrescentou: quero dizer, *misturado*, um país *misturado*. Não é assim? E confidenciou, como que do nada, baixando a voz e aproximando a cabeça: tenho informações de que a seleção alemã, que vai ficar na Bahia, fará um belo trabalho social. Eles têm ótimos projetos para as comunidades da região onde vão se concentrar antes da Copa. O futebol tem este poder, concluiu ele, severo, avançando para o pudim que acabava de chegar, que ele contemplou sem perder o fio da meada: Posso imaginar o quanto a Copa está movimentando a economia brasileira, não?! Beatriz tentava achar um elo entre as informações avulsas daquele fim de almoço, o mulato, o trabalho social da seleção alemã, a economia brasileira, e sentiu-se momentaneamente perdida, sem dizer nada, enquanto Erik experimentava o pudim: Ah! *Hmm...* É muito parecido com um doce que minha mãe fazia em casa!

Eu preferia o Erik assim, com pouca filosofia, só uma criança grande, como todo homem — e Bernadete achou graça da amiga. *Mas já havia um clima entre vocês ali?* Como Beatriz ficou quieta, ela desculpou-se com um gesto divertido: *Tudo bem, tudo bem, você não quer falar.* Mas não era isso: ela mesma queria entender. Quase acrescentou, fechando um fio esquisito de lembranças: são apenas as mulheres que dão sentido à existência; o Mistério, o Sagrado, são atributos exclusivos das mulheres, como alguém uma vez lhe disse, as mulheres são seres naturalmente transcendentes, e ela havia ficado feliz com a poesia simples do galanteio. Mas eu sempre me achei tão frágil, ela respondeu, sentindo ao mesmo tempo que mentia. *Exatamente: o Sagrado é frágil,* reforçou o menino, sério como um iniciado em seu primeiro ritual — não era mais do que um menino em sua provável primeira noite, num motel horroroso, a imagem indelével na memória que coincidia misteriosa com a imagem da visita do Papa (*o parque é logo ali,* ela explicou ao Erik), quando ela mal havia nascido, uma coisa levando a outra sem elo aparente, mas de seu primeiro homem ficou apenas o impacto da tatuagem, a cobra no peito. Há um culto selvagem, revivido, em cada tatuagem, ela pensou em dizer à Bernadete para explicar o fascínio que sentia em vê-las e tocá-las, como que buscando o relevo sutil na ponta dos dedos, ainda que uma única vez tenha sido corajosa o suficiente para marcar a si mesma, quando se apaixonou pelo *homem tatuado,* lembra que falei dele, o dono de um sebo ali perto da Praça Tiradentes? Ele era inteiro desenhado, parecia um mapa! Daniel, o nome dele. Cultuava o próprio corpo como eu ja-

mais cuidei do meu. E ele acabou quebrando minha resistência e me levou enfim para fazer uma tatuagem: *é muito
importante*, ele dizia, insistindo. Beatriz, não me diga que
você tem uma tatuagem?! Você nunca me contou!

— Duas estrelinhas discretas na virilha, foi tudo que eu
concedi. Ele gostava de sexo oral. Assim, veria estrelinhas
enquanto... — e as duas deram uma risada, Bernadete com
a mão na boca simulando escândalo, *Beatriz, você, hein?!*
Depois me arrependi, ela disse — esse ponto de não retorno,
que é toda tatuagem, a ideia do *para sempre*, e justamente na
pele, como uma condenação perpétua. Sei que dá para tirar,
mas é outro purgatório, pior ainda que o ferro e o fogo do
primeiro. *A pele também é sagrada*, ela relembrou. *O meu
espaço.* E outro fio de lembrança distraiu Beatriz, a bola de
futebol caprichosamente tatuada no bíceps direito de Erik, e
ela repetiu o gesto de passar o dedo para tentar descobrir
relevo, uma bela tatuagem, inteira *clean*, o círculo perfeito
com cinco gomos simétricos formando um pentágono em
torno de um pentágono central, pentágonos que amarram
pentágonos, um desenho que inchava ligeiramente como se
fosse uma bola real assim que ele contraía os músculos, o
que ele fez de brincadeira ao perceber a atenção de Beatriz e
sentir sua unha cortante percorrendo as linhas. *Foi o meu
primeiro gol como profissional. Contra o Stuttgart. Eu tinha
17 anos incompletos. Fiz um gol fantástico de fora da área,
um chute inesperado. A bola caiu súbita no ângulo quase
como uma cesta de basquete. O goleiro foi se inclinando para
trás de braços erguidos para vencer a geometria mas caiu
sentado já dentro do gol com a bola inútil no colo. Em português vocês têm uma palavra especial para isso: "golaço".*
Erik olhava o teto, relembrando o grande momento de sua

vida com um sorriso. *O principal é que ganhamos de 3 a 2, e o meu gol foi decisivo, o último desempate, aos 76 minutos de jogo. Eles ainda acertaram uma bola na trave, no último segundo.* Parecia uma criança falando, relembrou Beatriz — olhava o teto em estado de êxtase, revendo o grande momento de sua vida, que se resumia a uma bola fazendo uma curva. Como ele ficou quieto, ela voltou à tatuagem:

— E então você fez a tatuagem para comemorar.

A recordação animou-o novamente:

— Sim. Meu amigo Lött, um grande *Verteidiger*, como se diz, *how do you say*, "zagueirro", que tinha o corpo inteiro pintado, e o cabelo verde-punk, me arrastou depois do jogo para fazer a tatuagem. Na hora de escolher a imagem, preferi a bola. Eu não tinha nem namorada para escrever o nome. Quando meu pai descobriu, ficou furioso — *Então criei um filho para virar um selvagem!* Ele era um homem antigo. E as tatuagens ainda eram percebidas na Alemanha, pelo senso comum dos mais velhos, como coisa de neonazista, a estupidez gravada na carne. Lá no fundo tinha um simbolismo meio pesado no gesto de marcar a pele. Mas hoje não, isso se dissolveu rapidamente, graças ao futebol. Hoje os jogadores são bandeiras vivas, como se a própria pele fosse uma resposta pessoal à venda de cada centímetro dos uniformes — e ele riu. Mais um pouco e as empresas estarão pagando fortunas por tatuagens publicitárias. Já pensou? Quanto vai custar um Messi, um Neymar, um Cristiano Ronaldo com uma mensagem gravada no peito, no braço, na testa — e ele riu da ideia. — Mas algo assim, é claro — e Erik olhou sério para Beatriz, meio palmo entre um nariz e outro sobre o travesseiro —, a FIFA jamais vai permitir. Sempre há um limite.

Ficaram um minuto em silêncio escrutinando o rosto um do outro, o puro prazer do olhar: tudo isso é novo, ela pensou. *Sempre há um limite* — o que ele quis dizer? Um outro mundo entrando na minha vida. Terá algum futuro? — e ela se aconchegou por um minuto na melancolia. *Não.* Ainda estava ansiosa demais, ou próxima demais, para avaliar o afeto que extraía do sexo com Erik. Ele era mais tímido, ou apenas mais desajeitado — *Também, na primeira noite!*, Bernadete provavelmente lhe diria, se ela contasse chegando a tal minudência —, mas era capaz de controlar-se quase indefinidamente até o momento que quisesse, com uma autossatisfação contagiante, como se fosse sempre ele que conduzisse o sexo e não o contrário. Um *atleta*, ela diria, fazendo humor, e as duas dariam uma risada. Tentou se livrar da comparação imediata com Donetti, afinal o seu homem mais duradouro, alguém que, de fato, já lhe pertencia, a sua sempre inesperada delicadeza temperada pelo humor, criando um duplo sobre ela que parecia se apagar assim que ele se largava exausto, nos últimos tempos sempre um minuto antes do ideal, antes vítima que agente do sexo. Beatriz sentiu a mão dele, quente sobre a coxa, aproximando-a para si, e viu o sorriso se armar no seu rosto como o plano secreto de uma criança: Erik desejava começar de novo. *Meine schöne brasilianische*, ele sussurrou, aproximando mais a cabeça, e ela pareceu sentir o peso da faceirice tranquila no olhar dele, o prazer simples do sexo. *Minha linda brasileira.* Um breve jogo. Mas ela estava ainda com a tatuagem na cabeça.

— E a sua mãe?

— *Meine Mutter?!* O que tem ela? — um susto.

— O que ela disse da tatuagem?

— Ah! É isso. — Era como se escapasse de uma culpa, e ele suspirou. — Nada. Para acalmar o velho, disse apenas que a tatuagem não aparece nem com camisa de manga curta. *O que não aparece, não existe,* ela costumava dizer. No outro dia, meu pai meio que me pediu desculpa, sem dizer, ao jeito meio bronco dele. Olhou de novo a bola tatuada e chegou a rir: está *diskret.* Um tapinha nas minhas costas, *ja, ja.* E nunca mais tocou no assunto. — Ele ficou em silêncio alguns segundos; talvez relembrasse a cena. E, a voz baixa, disse em alemão, mais para si mesmo, olhando o teto: — Antes dos 18 anos, eu já era a pessoa mais rica da minha família.

4

O elevador parou novamente, agora no oitavo andar, e desta vez alguém entrou e ninguém desceu, ao contrário do que se esperava, e as pessoas espremeram o incômodo mais um pouco para abrir espaço. A mulher ergueu os braços na porta — Beatriz! — e avançou de lado para trocar beijinhos desajeitados, esbarrando numa velha senhora. Como desculpa, explicou que ia até o 18 falar com o síndico, *o vazamento continua*, e como o elevador não se movia ela entrou mais um pouco, colando em Beatriz, sacola esmagada nas coxas, para livrar *a célula fotoelétrica*, alguém repetiu, e a porta enfim fechou com um estrondo de engrenagem velha. *O Gabriel pode ir à tarde?*, ela perguntou, *você já se livrou daquele trabalho?*, e Beatriz, o rosto queimando de vergonha alheia e própria, por que essa maldita mulher fala tão alto em público, dentro de um elevador? As pessoas todas em torno de Beatriz olhando para ela com um sorriso simpático, *as pessoas naturalmente gostam de mim*, uma vez ela disse a Donetti, num raro surto de orgulho e afirmação em voz alta, em resposta ao resmungo dele de que não era amado por ninguém — *as pessoas gostam de mim*, ela relembrou, exceto um velho senhor, carrancudo, o queixo erguido, neste momento a fitar a pequena grade destroçada no teto de onde vinha o sopro cansado de um ventilador. Não, não me livrei do meu trabalho ainda, ela pensou, eu tenho de voltar à tarde, recuperar meus óculos e devolver o executivo ao aeroporto de onde ele veio e ao qual pertence, provavelmente para nunca mais, mas preferiu não pensar nisso — um desejo de entrar logo em casa e passar o início de semana a limpo, a vida nova, uma segunda-feira poderosa sem Donetti nem ninguém, e enfim terminar a tradução e conversar com Chaves, demoradamente. Por que eu caí nesta esparrela sentimental?, ela perguntaria à Bernadete, se fosse para se entregar, o que ela não faria. *Seja firme, minha filha*, o pai uma vez lhe disse quando ela chorava, criança, por uma bobagem qualquer, e o gesto carinhoso nos cabelos, depois o beijo paterno desajeitado, desmentia a dureza aparente da voz. *Seja firme.* Ela guardou o conselho na memória. O sexo, finalmente, perdeu o mistério e o segredo, ela poderia dizer agora, *eu estou madura*, o sexo é apenas mais uma variável da vida e não está necessariamente atrelado a nada — apenas ao *desejo*, esta coisa volátil, venenosa e infiel. Mas é uma desculpa que vem da frustração secreta, talvez. Em vez de pensar no momento em que se ergueu da cama, já pressentindo um outro pequeno final na sequência do filme de sua vida, sem saber bem por quê — Erik ressonava, tranquilo como uma criança — e, naquela suíte enorme de onde via quase que Curitiba inteira, passando pela saleta em direção ao banheiro, encontrou o notebook aberto e sentiu uma compulsão de moleque de tocar no *touchpad* e revelar a imagem do monitor adormecido, fazer justamente aquilo que a irritava em Donetti sempre que ele se aproximava do computador dela — *esta imagem revela as pessoas*, Chaves lhe disse, com uma risada, *a análise dos planos de fundo dos computadores caseiros pode se transformar numa ciência semelhante à fisionomia ou à grafologia, o que você escolhe para pôr ali é o que você é*, e até mesmo Donetti achou graça sob a figueira; Chaves contava de um antigo funcionário da editora que havia colocado a fotografia da mãe dele no computador, e alguém no cafezinho disse que ele devia estocar cabeças de moças virgens assassinadas no *freezer* da garagem, como nos bons seriados do ramo, e Beatriz, vítima da empatia, horrorizou-se, *credo, e era verdade?!* — sentindo-se imediatamente a burrinha da mesa quando os dois homens, solidários por um único segundo, olharam para ela com um sorriso a um tempo surpreso e compreensivo, *não, não, ele era meio limítrofe, mas acho que nunca matou ninguém*, e eles riram imersos no humor negro e Beatriz sentiu o rosto queimar, como agora, novamente, pela mera lembrança. Ao sair do restaurante, ela pensava na proposta de tradução, que subitamente pareceu lhe abrir uma vereda de renovação existencial, uma outra perspectiva na vida, e era como se Donetti imediata e inexplicavelmente começasse a perder sentido ao seu lado, um sentimento pulsante de rejeição que entranhava-se e espraiava-se, um ciclo que se encerra, mais um — prolongado, denso, produtivo, transformador, sim, eu devo muito a ele, mas inapelavelmente encerrado, acabou —, o que lhe dava, neste exato momento, esperando chegar ao número 14, a sensação sempre rara de *liberdade*, o momento verdadeiramente solto e raro de autêntica *contingência*, divertiu-se ela, *eu posso escolher*, relembrando o Xaveste que retomaria palavra a palavra dali a alguns minutos justamente para esquecer todo o resto e mergulhar no trabalho saboroso de traduzir, depois deste interregno futebolístico, digamos assim, e Bernadete daria uma risada saborosa, repetindo, como sempre, *você é engraçada, Beatriz*. E Beatriz ficaria momentaneamente melancólica, o manto de tristeza que nos abate depois de um excesso: *será* que realmente eu esperava que Erik fosse um caso a levar a sério, que em trinta dias eu estaria na Suíça, fazendo-lhe companhia nas recepções da FIFA? Igual, pelo avesso, a Manon Lescaut, enfim seduzida e abandonada, como se você fosse uma tolinha, e as duas riram novamente — pensando bem, é engraçado. *Não, eu apenas agi como um homem — não é assim que dizem que eles são? Liga e desliga: uma boa transa de fim de semana, ou em plena terça-feira em pé atrás da porta, e plim! — voltamos imediatamente à vida real ajeitando a saia.*

À saída do restaurante da Figueira, talvez já pressentindo que Beatriz se afastava minuto a minuto dele, *Vocês não querem mesmo que eu leve vocês de carro?*, ainda insistia Chaves, Donetti respondeu *não, não, nós vamos caminhar um pouco, pegamos um táxi na Oscar Freire*, e apertou sua mão vigorosamente, como se quisesse reforçar pelo tato que não haveria nenhuma animosidade na recusa, as divergências à mesa foram apenas expressão da saudável diferença de opiniões entre pessoas amigas, ambos diante de uma Beatriz calada e ambivalente, sentindo a fissura abrindo-se em sua vida imediata. Pensou em perguntar, irritada, quando se viram sozinhos na esquina, aquele atropelo de carros farejando espaço, *valets* fazendo sinais, *por que não aceitamos a carona?!*, e ele dizia, *Vamos caminhar um pouco, tem um ponto de táxi logo adiante*, e, mal se refreando, achou um caminho para falar mal dele — É fácil reclamar do governo e manter as opiniões políticas dele pagando um jantar de 700 paus, e Beatriz disse *eu não acredito no que você está dizendo*, e Donetti ficou calado, *um homem decididamente difícil*, ela contou à Bernadete. *O mundo contemporâneo — e não apenas o ocidental — habituou-se com a ideia de que a guer-*

ra opinativa entre pessoas se dá no exclusivo terreno da racionalidade, e que os processos argumentativos podem todos ser reduzidos a uma tabula de equações aristélic aristotélicas elementares, cuja obviedade primeira é simplesmente axiomática [autoevidente??]; o terreno político vem sendo aplainado pelos séculos no sonho de criar um habitat [ambiente??] supostamente natural para esta aritmética incontestável de princípios. É fato que a grande filosofia já abandonou há muito o idílio da razão sonhado pelo Iluminismo, mas a razão — o seu princípio metafísico — não pode abandoná-la, sob pena de suicídio, e a filosofia sabe disso. Eis a charada: assinalar o ponto de fuga racional a partir do qual o mundo ganha solidez e perspectiva, sem abdicar da fluidez das relações. A célebre fundação cartres cartesiana, que nos escapa ensaboada — e Beatriz tirou os dedos do teclado e olhou para a parede branca, será que eu entendi o que ele quis dizer? Suicídio da razão ou da filosofia?

— Ele quer você — disse Donetti, acusatório, olhando para o outro lado de modo a disfarçar o tom de voz, que lhe falhava, aquele breve embargo, o lamento apenas pressentido na escuridão da esquina, e ela se distraiu vendo-o procurar num gesto inconsciente um cigarro imaginário nos bolsos, três anos depois de deixar de fumar. E Beatriz ficou por alguns segundos *criminosamente* em silêncio: sim, você tem razão, Chaves me quer, e eu também quero a ele, mas tudo que ela verbalizou em seguida foi em direção contrária: *Você está completamente maluco. Olhe, tem um táxi ali,* e ela mesma fez sinal, avançando para o meio da rua e arrastando-o com ela. Porque eu estava confusa, ela teria de dizer, se confessasse, o momento em que você se solta de alguém e toma outra direção — na verdade, o que você quer é re-

181

cuperar você mesma, juntar os cacos com a ajuda de outra pessoa, para isso servem os namorados, ela disse, e riram, e eu estava com um desejo de rompimento que fosse também ofensivo, que *ferisse* — não, não isso, apenas *marcante*, alguma coisa que demonstrasse na carne a dor que se sente, um sentimento primitivo e grosseiro, e no entanto — e Beatriz deu um passo para o lado na parada do décimo andar, quando o velho finalmente tirou os olhos do ventilador do teto baixando o queixo e num passo longo (alguém que estica a perna mais do que o necessário para vencer uma valeta suja, ela fantasiou, ao vê-lo praticamente pular para fora dali), e reviu nítido o instante em que Erik *se entregou à barbárie*, ela poderia dizer, se não temesse, quem sabe, a reação da umbandista Bernadete, praticamente sua única amiga.

No restaurante eu até perguntei para ele — assim que Bernadete me confirmou o horário, cheguem um pouco antes das cinco da tarde, ela disse — por que ele estava tão interessado no *cerimonial* do terreiro, *Zeremoniell*, eu arrisquei no meu alemão caseiro, para tentar definir aquela missa da umbanda (chama-se *gira*, ela explicou, o nome do culto, mas não é o que você está pensando, Beatriz, deixe de preconceito!). Por que você quer participar de um ritual de umbanda? Mas ele apenas sorriu — é uma aposta que fiz com um amigo, ele disse, mantendo o mistério, e voltou ao *Milchspeise*, o pudim de leite à brasileira, *hmm*, muito bom! *Docinho*, ele recitou aplicadamente em português, uma criança faceira, e, como se olhavam nos olhos, ela quis entender de outra forma e pressentiu entre eles a sombra mútua de um desejo.

Mas isso, de fato, só aconteceu depois — pouco depois, na verdade, trinta minutos depois que ele avançou para o ritual *pagão*, digamos provisoriamente assim, ladeado por duas sacerdotisas de branco e miçangas coloridas, até uma roda singela de figuras brancas de pés no chão batendo palmas, sob o poder cada vez mais envolvente de atabaques temperados por cordas de berimbaus e refrões simplórios, a fumaça do charuto do preto velho desembarcado em alma e voz (mas não havia negros ali), a misteriosa voz rouca simuladamente dupla, quase infantil, de algum outro mundo mental, *mais a saudade* [nostalgia??] *atávica do paraíso, talvez a mais antiga ficção narrativa da história da vida humana, a utopia, o não lugar de refúgio, em todas as suas formas o mais excludente projeto de vida comum jamais sonhado, a supressão pela raiz da diferença e o abandono da vontade*, libera nos Domine *do nosso próprio peso*. Eu fiquei ali sentadinha, bem-comportada, sem cruzar as pernas, um tempão segurando os sapatos e as meias de Erik com a ponta dos dedos, como se fossem uma caixa preciosa de joias, até que simplesmente deixei-os cair e me entreguei à hipnose cada vez mais intensa do ritual, vendo o poderoso alemão da FIFA entregue de joelhos ao neopaganismo brasileiro, o que, na frieza da lembrança, é engraçado. Mas não no momento da coisa, Bernadete — eu fiquei impressionada, depois assustada, com a... com a *convulsão* que ele sofreu.

O elevador parou no 14 com um tranco, e depois de uma breve indecisão mecânica a porta se abriu barulhenta diante do corredor escuro. Beatriz disse um *até mais* sorridente aos que ficavam, deu dois passos para fora e a luz se acendeu, *por mágica*, ela ouviu uma vez uma criança dizer. Momentaneamente incerta, lembrou-se de que a porta de seu apartamento era à direita — no hotel ficava à esquerda, e imaginou-se num relance contando o detalhe para Bernadete, *quando voltei para casa, custei a reengrenar o automático.*

A primeira vez — na verdade, ela só passou por aquela porta duas vezes — na primeira ele estava mais nervoso do que ela, quase que ainda sob o estado de choque de seu ritual de umbanda — aquilo *realmente* mexeu com ele. Mas é claro que as coisas não são como no cinema, tipo assim, você passa pela porta, engata um abraço rodopiante com seu amado maravilhoso e na cena seguinte já está nua na cama segurando *naturalmente* o lençol de modo a ocultar os peitos quando você se levanta para se vestir ou ir ao banheiro, como se houvesse mais alguém ali ou você apenas se protegesse do cinegrafista, do iluminador, do diretor, da produção inteira em torno de você nua, todos os que estão ali mas não aparecem no filme (a Bernadete vai achar engraçado) — a gente foi só namorando devagarinho, quase que sem tocar no assunto, e eu estava precisando *me esquecer*, acho que foi isso, dane-se o resto, a fragilidade dele passou a ser também minha, e quando aceitei descer do táxi (eu já sabia que ele iria convidar e que eu iria aceitar), e mais a espera do elevador, o concurso secreto para ver qual das três máquinas chegava antes sob aquela abóbada de mármore, aço, espelho e luzes, bem, eis uma entrega, era quase um ritual de casamento, e Beatriz deu uma risada defensiva. (Quando eu desvio os olhos durante a risada eu sei que estou me defendendo, uma vez ela confessou a Donetti, uma das longas entregas de seus felizes primeiros meses.) Agora eu preciso simplesmente esquecer — *não foi desta vez*, e, procurando a chave na bolsa (a luz do corredor apagou e ela balançou o corpo para acendê-la de novo), pensou na expressão *não foi desta vez*, que por vias tortas lhe lembrou o Xaveste ainda por terminar. *A ideia de que a democracia se dirige necessariamente para algum lugar, a ideia de que ela deve ter um conteúdo pro-*

gramático, é uma das fantasias mais fortes e duradouras [resistentes??] da cultura contemporânea — a ótima "democracia burguesa" é simplesmente um conjunto de regras fundado sobre um conjunto de pressupostos, e nesses pressupostos é que estão as concepções de civilização e de barbárie que escolhemos. Sua única obrigação, na formulação de John Gay John Gray, é conservar-se viva. A ironia de Ciu Cioran diz que a democracia é a afirmação da fraqueza, que temos de nos derrotar para aceitá-la, mas este é o modo metafísico de pensá-la, canhão de matar passarinhos [??], um pequeno Niecz Nietzsche sem romantismo, já devastado pelo século 20 — ao contrário das tolices messiânicas, a democracia não sonha, e por isso é imprescindível se —

Colocou a chave na porta e fantasiou num átimo Donetti à sua espera na sala, ambos prontos para uma longa conversa que jamais haverá, lá se vão alguns anos de convivência, ela diria à Bernadete, foram três ou quatro? — e nada disso tinha mais importância, *o tempo passou, não há mistério nesse fato simples.* "As coisas não têm mistério, sua mãe dizia", ela imaginou escrever, o menino intrigado com o talismã do silêncio. Abriu a porta já pensando em outra coisa, repisando um lugar-comum que contaria à sua amiga, como quem quer organizar para si mesma o que pensa: não há nada que alegre mais um homem (*alegria* é a palavra certa; as outras são falsas) do que sentir que uma mulher desejada, mesmo que apenas momentaneamente, está se tornando *sua,* o rito da posse, os olhos fechados da entrega. Eu posso até *ouvir* o coração deles batendo nos olhos — e elas riram da imagem. E você quer saber do meu ponto de vista? *Pois não tive tempo de pensar,* ela teria de dizer, revendo mentalmente a entrega de Erik aos deuses da umbanda, a exaustão de estímulos de que ele foi vítima por vontade própria. No México, ele contou depois, no domingo de manhã, ambos vestindo o roupão branco de hotel — isso é meio ridículo, ela disse em português, e ele riu, repetindo apenas *lächerlich!*, *ridiculous!*, tudo curto demais, o roupão desengonçado no corpo, ele parecia mais alto e magro assim, *eu atendo*, ele disse, cioso de proteger a namorada, e voltou com a bandeja imensa do café para dois.

— O que tem o México? — ela perguntou, investigando o que havia naquela bandeja, *amanheci com muita fome.* — Você falava do México.

— Ah, o México. As *límpias* indígenas. Fiz uma *límpia* para tirar os maus espíritos, e havia uma dança. Parecia coisa para turistas, mas não era. Eu fiquei impressionado: os mexicanos têm obsessão pela morte. Eles entendem de morte. Há um ano fiz uma visita guiada, com uma equipe da FIFA, ao Museu Nacional de Antropologia. Antes mesmo de Colombo chegar à América eles já eram obcecados pela morte. Aquilo me fez bem.

Beatriz interrompeu o corte do mamão:

— A obsessão pela morte?

— Não. A *límpia*. Voltando à Alemanha, eu estudei o assunto — ele afirmou enérgico, com uma inesperada seriedade, quase hostil, como se ela duvidasse dele. — Eu acredito em outra vida.

Beatriz voltou ao mamão, talvez num gesto rápido demais: uma pequena distância nasceu ali, ela lembrou mais tarde. Ele insistiu, tocando o braço dela, como alguém que sabe que ainda não é levado a sério no terreno *superior* da cultura e quer provar que sabe do que está falando (havia um toque infantil na ansiedade dele, Beatriz diria mais tarde):

— As *límpias* fazem parte da *etnomedicina* — ele recitou. — São uma... *ciência,* você pode dizer assim. Uma... *purificação.*

— *Reinigung?* — Beatriz testou em alemão, como um jogo, para escapar dos meandros da discussão.

— *Nein...* não exatamente — e ele espetou o indicador na própria cabeça, um gesto engraçado: purificação *mentalen.*

De modo que o alemão era o umbandista, e a brasileira a cartesiana, ela teria de contar a Chaves, se um dia tivesse coragem, ou — ela gostava desta palavra — *intimidade.* Purificação mental: isso é possível? A cabeça só embaralha, e ela riu. Beatriz entrou no apartamento e fechou a porta, sentindo-se *simbolicamente protegida,* ela poderia dizer à Bernadete, a boa filha a casa torna, e elas também achariam graça disso. Largou no sofá a sacola e a correspondência, principalmente o envelope de Donetti, resistindo à tentação de abrir agora e ler o que ela já sabia que estava lá, *eu preciso de você, não me abandone, comecei a minha obra-prima,* e foi direto ao computador, para retomar imediatamente a tradução, estou atrasada, imaginando que em breve receberia o telefonema de Erik, assim que ele acordasse, a mão dormente tateando o travesseiro vazio, *o que aconteceu, por que você não está aqui?!,* ele vai perguntar, inocente, e ela terá de explicar o que agora lhe dá uma preguiça extrema de explicar, e afinal ele nem vai precisar de mim para voltar ao aeroporto. (Mas ele ligou? — perguntou Bernadete, antes de dar mais um gole de vinho.)

Beatriz pôs o celular para carregar e foi ao banheiro fazer xixi, lavar as mãos e se olhar no espelho — *estou cansada, mas é coisa* mentalen —, e ela espetou o indicador na cabeça, como um revólver, à maneira de Erik, e de novo achou graça do gesto, sentindo uma nostalgia difusa de uma hora antes, *o tempo esvaziado de conteúdos*, imaginou ela, pensando no talismã do silêncio que um dia iria escrever, talvez Chaves goste desta imagem, e voltou como que correndo ao teclado, para escapar da memória. *O que realmente incomoda* [perturba??] *o inconsciente da esquerda política contemporânea é a cultura definitivamente* laica, *arrancada de uma vez por todas do terror controlado da utopia; é o território assustador da liberdade pessoal, sob um contrato social neutro. Eis por que, na percepção de Mac McGavvas, o núcleo duro da esquerda, que resiste furioso ao ideário reformista e suavizador da social-democracia, assim como não dispõe de uma teoria econômica realmente alternativa fora da* tabula rasa *do Estado fechado à força, quase sempre sob a truculência das corporações, é incapaz de uma teoria da educação que não seja a reprodução paralisante de seu ideário, o verdadeiro "fim da história", a regressão infantil ao paraíso obrigatório — ela se move unicamente na aura abstrata da utopia, entre os bons, garantida pela aura estrita do poder, entre os maus. E eis também por que a escola é a primeira vítima da selvageria cultural da esquerda, ainda que o refinado europeu Gramsci — no silêncio santificado da prisão — jamais tivesse sonhado com a essência de Pol Pot ou de Mao que viriam pela frente.*

Eu concordo com isso? — ele diz muitas coisas ao mesmo tempo, e Beatriz olhou para o alto, num dos raros momentos em que não se sentia apenas uma "máquina de tradução" — foi isso que ela disse a Donetti, *estou me transformando numa máquina de tradução, um google translator ao vivo*, mas ele não sorriu como deveria, sempre à sombra de Chaves, o novo inimigo, e Beatriz lembrou da rabugice dele e voltou com um suspiro ao texto, palavra por palavra: Xaveste está sendo irônico, os bons e os maus, uma ironia em camadas — os bons seriam os idiotas que acreditam, acreditaram, ou acreditarão, assim, tipo eu, ela diria ao Chaves, e riu sozinha. Eu acredito em Dilma Rousseff, ela ouviu alguém dizer numa esquina, à espera do sinal verde, uma profissão de fé perdida, irritada e defensiva. Releu o parágrafo, gostando da tradução e, defensivamente, de si mesma — está uma tradução fiel e sonora, concluiu, feliz. Os bons e os maus: de que lado eu estou, pensou em perguntar, como num jogo, para um início de conversa.

As *límpias* tiram o mal da alma, Erik disse. Quando eu jogava futebol, às vezes chutava pernas sem bola, mas com a desculpa da bola — eu *sabia* que estava sendo mau, a explosão da violência, o desejo incontrolável de ferir, o futebol é feito inteiramente de chutes, o pontapé é a sua única linguagem (não, não foi assim que ele falou, *kick* soa mais leve que *chutar, dar pontapés*, talvez porque a palavra estrangeira sempre nos chega sem emoção ou história, é apenas uma ideia de palavra envolta numa cadeia estranha de sons, o que você acha, Chaves?, ela iria perguntar). Ele falava de maldades inocentes: como os presidiários e os índios, o jogador de futebol nunca tem culpa e nunca comete erros — a falta nunca é falta, a mão nunca é mão, o lateral é sempre meu, jamais estou impedido, o bandeirinha é um idiota e o árbitro um filho da puta, e mesmo que a bola entre pelo lado de fora da rede, filmada por trinta câmeras, eu jurarei pela alma da minha mãe e pelo sofrimento de Jesus Cristo — só Jesus salva! — que o gol foi legítimo — e Erik riu: *Não, não, estou exagerando um pouco. Os brasileiros é que são bons nisso, o fingimento expressivo, artístico, quase autêntico, mas a verdade é que enganar faz parte da graça do jogo, você não acha?* Não, o Erik não disse "fingimento expressivo, fingimento artístico", eu que estou inventando agora — é complexo demais para ele, e Bernadete se surpreendeu: *Você não está um pouquinho ressentida com o Erik, não?* E a quase fúria com que Beatriz disse *não!* parecia indicar justo o contrário — tudo por uma fotografia no computador que você descobriu por um toque maroto, e no fim ela riu, estendeu o copo: ponha mais vinho. Estou precisando beber hoje. Amanhã começa minha nova vida. Manon Lescaut não descansa.

— Sim, venha para São Paulo — disse-lhe Chaves, depois de elogiar a tradução, *já deu pra sentir só por uma lida em diagonal que ficou muito boa, agora é só enviar para a preparação dos originais. Mas tenho outros projetos para você,* o que ela entendeu com ambivalência deliberada, *seria legal a gente se encontrar pessoalmente,* e Beatriz sentiu *o talismã do silêncio* naquele meio minuto quieta ao telefone.

Bernadete levantou-se já um pouquinho trôpega para pegar outra garrafa, *não saia daí, que eu quero ouvir tudo até o fim,* e Beatriz sorriu: uma boa amiga. Ela quer saber exatamente em que momento eu *atravessei a fronteira — você sempre foi tão, tão...,* ela disse, deixando no ar alguma coisa fortíssima, impressionante e invisível. Eu também gostaria de saber, se houvesse um momento — mas é uma espécie de fusão no tempo e no espaço, *você vai se envolvendo e transferindo parte de sua aura à aura do outro e quando vê —* e ela pensou no que estava dizendo. Ali estava Erik ao final da cerimônia, completamente destroçado, chorando — na verdade, *soluçando* como uma criança, esvaziado no chão do terreiro como um corpo de quem se levou a alma durante alguns minutos, para purificá-la — *la límpia, foi como uma límpia*, ele diria depois, tentando cobrir a aura residual de vergonha, um homem que se entrega, com retalhos de alguma ciência, e, agora, muito desejo, e era como se a manifestação masculina do desejo cobrisse a fraqueza do choro, *ele precisava me provar alguma coisa que apagasse seu passado imediato. O abraço que me deu em seguida*, Beatriz explicou, tentando achar um modo de dizer, mas deixou a expressão no ar, até para si mesma: o que aconteceu? No centro daquela dança, a voz rouca do outro lado da realidade, o teatro quase infantil dizia-lhe coisas incompreensíveis sob a opressão dos atabaques, da cantoria de uma cantiga de roda, das aves brancas girando em torno (*ao tentar se lembrar, ele usou a expressão "aves"*, die Vögel), e a fumaça, numa intensidade crescente e como que irreversível, até que ele desabasse, um homem finalmente *purificado*, e Beatriz tentava enxergá-lo através da cortina de saias e calças brancas e vozes a girar em torno daquele centro agonizante, até que dedos tocaram o seu ombro engessado, *você não quer participar também?*, como alguém que sabe de um segredo imaginário que ela não pretende partilhar e oferece uma alternativa com a mão estendida, *venha, solte-se*, mas Beatriz não foi, disfarçando a irritação com um sorriso tenso mas conciliador, *não, eu vou esperar aqui*, e pensou, *alguém tem de manter a razão*, e percebeu-se segurando novamente os sapatos de Erik, uma espécie de âncora, como alguém que quer sair logo dali mas não pode se livrar da hipnose do que vê. *O grande debate contemporâneo não vem se dando entre linhas argumentativas distintas a partir de fundações epistemológicas próximas* [semejantes??], *ou, pelo menos, derivadas, o que tem sido a norma*, grosso modo, *desde os pré-socráticos. A explosão* [erupção??] *romântica gestada na formação da Revolução Francesa e plenamente amadurecida no século seguinte colocou em jogo, ainda sem formulá-lo exatamente, o conceito de* performance — *a utopia, como expressão primeira do mundo, transmuda-se, à falta de razão que justifique o mito, em manifestação pura e necessária da vontade. Pensar é agir. Não é mais a razão, sob quaisquer de suas formas conceituais ancoradas e rebatidas em alguma referência axiológica ou em algum outro que lhe dê viva consistência e contorno, que move boa parte das consciências dominantes contemporâneas no dia a dia da sobrevivência política, mas um horror visceral ao próprio princípio de realidade, que agora deve ser antes sentido que pensado. O* dasein hed *heideggeriano, finalmente, não precisa de mais nada para afirmar a si mesmo. Ele é, e isso ostensivamente lhe basta.*

Beatriz suspirou, cansada, sentindo um véu de dor de cabeça, e conferiu as páginas que faltavam — este livro não acaba nunca! Releu o longo parágrafo — tudo parece muito abstrato, ela diria ao Chaves, mas a tradução continuava lhe parecendo boa e sonante, fiel ao original. Tradutor não pensa; tradutor traduz, e ela deu uma risada, que Bernadete acompanhou. Eu só preciso entender Heiddeger, mas quando você puxa um fio da filosofia você vai levantando um labirinto de referências, uma rede sem fim que se estende pelo infinito até Zoroastro. Uma coisa de cada vez. *Você ficou maluca, disse-lhe Donetti uma vez. Leia só ficção, que não envelhece nunca. Há sempre algo inextricavelmente ridículo nas explicações filosóficas. "Tudo é átomo." "Penso, logo existo." "A história é teleológica." "O observador é parte da coisa observada." "A vida é absurda." Da filosofia, bastam alguns verbetes da internet, para não passar vergonha. Mas* ele temia um pouco minha cabeça, ele teme até hoje a minha cabeça, *o poder da minha cabeça*, e Beatriz sorriu intimamente. Fechou os olhos e massageou as curvas logo abaixo das sobrancelhas, um truque que uma vez lhe ensinaram para relaxar, *você libera energia*, e ela achou engraçado. Sabe que funciona? E Bernadete fez o mesmo fechando os olhos e massageando as sobrancelhas, *esse vinho me pegou*.

Abriria o envelope? Eu sei o que ele vai dizer, ela pensou, antecipando o que iria ler: *Minha querida Beatriz, eu sei que estou perdendo você para todo o sempre. Eu até aceito isso, mas não agora, por favor — a minha vida —* e Beatriz olhou para o teto, no devaneio da adivinhação, eu o conheço tanto que posso prever cada uma de suas palavras — *a minha vida é apenas o que eu escrevo; não há nada, não me sobrou nada, fora das palavras. Todos os meus livros são um cesto de palha onde eu fui me encaixando, dobrado sobre mim mesmo, atrás de conforto.* Não; ele não diria isso; é um tipo de sinceridade que lhe é inacessível, Bernadete, Beatriz explicaria à amiga no dia seguinte. Donetti é um clássico manipulador emocional; um pouquinho diferente que fosse a composição química de sua alma, e ele estaria na lista dos sociopatas homicidas procurados em seriados americanos. Por sorte, sobrou-lhe no DNA um fio roto de empatia, com o qual ele acaba por se enredar com suas próprias vítimas e assim nunca se sente livre por completo para matá-las. E Bernadete irá dizer: *Beatriz, você ficou completamente maluca?*

Beatriz sorriu, tirando os dedos do teclado e pegando mais uma vez o envelope fechado. Pensou no que dizer à amiga: *Bernadete, eu na verdade me apaixonei pelo Chaves, sem saber; agora o sentimento está aflorando. E a paixão é a forma violenta da esperança*, e elas achariam graça da imagem. Confesse, Beatriz, ela disse a si mesma: você está com medo de abrir este envelope, porque teme se enredar novamente, e no mesmo momento ela pegou o canivetinho de cortar papel que sempre deixava na gaveta. Você é tão cuidadosa para abrir envelopes, uma vez Donetti lhe disse. Eu não sou assim, ele explicou, como se ela não soubesse; eu vou rasgando tudo de qualquer jeito, num desespero de chegar logo ao que importa. E, é claro, larga a maçaroca de papel no chão, ela quase acrescentou, mas isso lhe soou como a velhice antecipada, a obsessão pela correção absoluta de todas as coisas. E depois, quando as pessoas se amam, que importância isso tem? O problema é que já nos conhecemos tão detalhadamente, cada sombra da alma, que não sobrou nada a descobrir. Uma, duas, três, quatro, cinco, seis, sete folhas, ela contou, puxando-as para fora — a primeira era manuscrita, com o bilhete apressado: *Minha querida Beatriz, eu sinto que já perdi você, mas preciso da minha leitora uma última vez. É você que está aqui. Por favor, leia.* Lembrou de alguma coisa que ele havia dito no último telefonema, *a representação da simultaneidade da consciência*, qualquer bobagem dessas, ela lembrou, devolvendo as folhas para o envelope com um toque de irritação por aquele *invencível egocentrismo*, ela diria a Bernadete, *como todo escritor, ele só pensa nele mesmo, sempre foi assim*, mas no mesmo instante, envelope fechado de um golpe na gaveta, decidiu, como alguém que não quer se entregar à pobreza do ressentimento: *depois eu leio*. Fechou os olhos e concedeu, como contrição: *Ele é um bom escritor*. O que foi — a afirmação neutra — uma forma sutil de esquecimento, e imediatamente voltou à tradução, falta pouco agora. *As ovelhas do Estado, o mag-*

nífico rebanho das ovelhas do Estado balindo e cobrindo a Terra, eis a visão última do Paraíso — *o paradoxo é que, no mesmo irrefreável movimento romântico, Niez Nietzsche liberou Raskolnikoff do peso medonho da consciência moral em nome da liberdade e da justiça transcendentes, o Super-Homem, o manipulador da História, a expressão do terror impessoal, para que a Revolução definitiva se fizesse, a Grande Libertação, depois da qual, enfim, as felizes ovelhas do Estado, ao arbítrio do sonho, povoariam o mundo.* Tanta coisa que eu preciso ler, Beatriz pensou, com uma ponta de angústia e outra de entusiasmo, preciso do talismã do silêncio, tempo para ler, e era como se Chaves fizesse parte deste futuro próximo, *talvez sair de Curitiba,* um novo esquecimento, *é bom mudar de geografia,* disse-lhe Chaves, mas olhando para Donetti, emburrado à mesa sob a figueira — *Você já viveu fora do Brasil, Donetti?* Não, ele disse, desenhando retas no ar com o indicador — o meu mundo começou em Santos, subiu a serra, avançou um pouco até Campinas, deu algumas escapadas ao Rio, Curitiba (*ele olhou para mim, com um sorriso*) e Belo Horizonte, e é só. Era para ser uma brincadeira, mas aquelas retas imaginárias ao vento brilharam como que um pequeno fracasso, as grades sutis de uma cadeia, o mundo é do meu tamanho, *e você nem disse que já esteve numa Bienal em Lima, outra no México, mais duas semanas em Lisboa, e fez parte de delegações brasileiras no Salão de Paris e na Feira de Frankfurt, nesta Nova Era da literatura brasileira,* mas eu percebi no mesmo instante que aquilo seria uma gota d'água enfurecedora, ele iria se emputecer com a minha gentileza condescendente, e fiquei quieta. Bernadete permaneceu em silêncio, pensando a respeito, até dizer, *sim, foi melhor você ficar quieta, os homens levam isso muito a sério*, e enfim ela deu uma risada. Eu vivi dois anos na Inglaterra, em Oxford — foi um momento de intimidade de Chaves, oculta num verniz de timidez ao ostentar sua *superioridade biográfica* (foi isso que Donetti disse, já dentro do táxi, *você sentiu a... "superioridade biográfica" dele?*). Lá, eu percebi o sentido secreto da palavra "esnobe", esta aura imperial de todo inglês, do taxista à Rainha. É um espírito tão forte que chega a ser uma barreira física no ar — impossível atravessar. Eles brincam com isso, o célebre humor inglês, mas não saem jamais da gaiola. Eu sempre me perguntava, tentando ajustar o sotaque exato para cada situação — afinal, e Chaves voltou os olhos para Donetti, meu pai foi vendedor de porta em porta em Miraí, Leopoldina, Cataguases, atentíssimo ao interesse dos outros —, eu me perguntava de onde vinha aquilo, aquela distância invencível. É tão simples — e Chaves fez sinal ao garçom, como que para disfarçar o desconforto por falar de sua vida pessoal, quase uma confissão, *mais uma garrafa de vinho, você acompanha?*, e desta vez olhou para mim. Bastam Shakespeare, Newton, Darwin, Virginia Woolf, Churchill, Orwell, BBC, os Beatles, Thatcher, um herói para cada tempo. E mais a língua que o mundo fala. Precisa mais? Agora ele se voltou novamente para Donetti, que, por alguns instantes, parecia sopesar cada palavra dos argumentos do inimigo: Veja, Donetti, pense em Henry James, Eliot, Conrad — todos chegaram à ilha e se prostraram, entregando-se à aura que jamais seria deles. *Só os irlandeses resistiram!* — lembrou Donetti, e Chaves concordou com uma risada: Exatamente! Esses passaram pela Inglaterra como tratores da literatura!

E os dois riram alto, como uma vingança vicária contra o Império, no único instante fátuo de solidariedade masculina daquela noite tensa, Beatriz lembrou, com um suspiro cansado — falta pouco para terminar a tradução, talvez hoje mesmo, tocando direto, até para esquecer a minha aventura desajeitada com um ex-jogador de futebol. *Mas ele não ligou mais?*, perguntou Bernadete. Sim, é claro que ligou. Eu estava pensando no que iria tirar do congelador para aquecer, começou a bater a fome, que não era só fome, era aquela depressãozinha que eu tentava vencer com o trabalho e com o estômago, e o telefone tocou. Eu imaginei que seria o Paulo, conferindo se o envelope havia chegado às minhas mãos, e já pensava no que responder a ele, meio seca, mas mantendo o contato, *vou ler sim, Paulo, fique tranquilo*. E eu acrescentaria, a voz suficientemente dura, que ele não pensasse que seria tudo como antes: *Preciso de um tempo, por favor.*

— Du hast verschwanden.

Ela custou a traduzir, não pelo alemão, que entendeu imediatamente, *você desapareceu*, mas pelo tom de voz, antes uma acusação neutra, já distante, que uma pergunta, era quase um conforto e um alívio, ela sentiu na entrelinha, e Beatriz manteve um breve silêncio, invadida por uma fraqueza que lhe tomou o corpo e a alma, que lhe parecia o tédio das explicações miúdas mas era um *esmorecimento das pernas*, o horror da confrontação, como é difícil enfrentar pessoas. Talvez — isso me ocorreu agora, para entender aquela frieza — ele sentisse uma vergonha retardatária por desabar na umbanda, e quisesse assumir uma espécie de outra vida, encouraçada e sem passado. Alguns homens acham que basta acordar de manhã para a vida recomeçar novinha, e Beatriz achou graça da ideia, *que não é má, se fosse possível.* Eu não queria perguntar dos óculos esquecidos, porque poderia indicar apenas uma desculpa, quem sabe arranjada, para revê-lo, mas ele mesmo se antecipou no final da conversa, a lembrança súbita, que não restasse nenhum rastro, *Ah! você esqueceu di Brille, eu deixo na portaria do hotel, fique tranquila.*

Bernadete largou o copo de vinho: *Mas você contou a ele o que havia visto?* Não, claro que não, o clique de passagem no computador aberto e a imagem estourada e colorida de um casal com seus filhos em estado de graça, Erik, a mulher — até que é bonita ela, ainda que um pouco bochechudinha demais, aquele cabelo lavado fazendo a franja na testa branca, e todos os dentes sorrindo — e mais a filhinha de tranças com o pai e o filho sério com a mãe, todos lindos e nítidos contra o verde e o azul difusos de um parque ensolarado, o cromo de uma família perfeitamente feliz congelada num domingo perfeito. Beatriz deu um gole de vinho. Foi bom ver aquilo, Bernadete: caiu a ficha da *aventura*, essa minha especialidade. Eu só precisava agora *inverter a equação*, e foi o que fiz. De repente, ele me pareceu um homem completamente sem o dom da graça. Até no sexo. Aquela... *pressa*. Aquela... *falta de imaginação*. Alguém que não tem mais nada de novo na alma e está satisfeito com o que sobrou — que está inteiro à mostra, translúcido, até na traição. Manon Lescaut não se perde, vai adiante, e Bernadete achou graça, *esse teu jeito de rir de você mesma. Só lembre que Manon Lescaut acabou mal.*

— Eu tinha um trabalho a terminar, e você estava dormindo tão profundamente que — a frase lhe saiu fria como um memorando, e um novo silêncio caiu entre eles, um pouco mais suave agora, um álibi providencial que se instaura de comum acordo e interessa a todos.

— Warum ich nicht aufwachen?

Desta vez ela não entendeu, *bitte?*, falar em alemão passava a ser a sua secreta arma branca contra o abandono da amante, *que desde a entrega na umbanda sabia demais dele, um homem fraco*, e ambos gaguejaram diante de um impasse de tradução, até que ele desembaraçou a expressão falando em inglês, *você deveria ter me acordado*, e o simples entendimento mútuo das palavras que súbito se resolve parecia encerrar todos os impasses. *É uma crueldade acordar as pessoas*, ela disse, tentando ainda um toque evasivo de humor, mas o tom de voz parecia dizer muito mais do que as palavras informavam, algum aforismo secreto, uma mensagem pontiaguda. Vozes ao telefone não têm sombras, são sempre duras. Para não dar tempo às entrelinhas, ela transfigurava-se na secretária exata:

— A que horas você pega o avião? Tenho de acompanhar você. Eu passo no hotel.

— *Nein, es ist nicht notwendig*, não é necessário, ele emendou em inglês imediatamente, que não houvesse dúvidas. Tenho uma reunião agora com a equipe da Arena, e eles vão me levar ao aeroporto em seguida. Dois deles falam inglês. Fique tranquila, está tudo certo. *Danke.* Você foi... *wunderbar!*

O modo como ele caiu nos seus braços depois do *esvaziamento emocional* da umbanda — foi isso que me quebrou. A entrega completa daquele abraço, que era também sexual, as mãos envolvendo meu corpo, a espinha dele curvando-se sobre mim, o fiapo de voz que se seguiu tentando explicar o choro, um homem que desaba.

— Você acha que foi... *premeditado?!* — e Bernadete sorriu perplexa, ela mesma duvidando da ideia.

— Não não não. De modo algum. Aquilo, a *límpia*, mexeu muito com ele, e por acaso eu estava ali. Também mexida, por outras razões. *In the mood*, predisposta, por assim dizer. Depois no táxi, de mãos dadas, rodamos em silêncio atravessando a cidade em direção ao hotel, *nós podíamos jantar*, pensei em dizer para prolongar aquela química, mas me mantive em silêncio, e eu quase podia ouvir as engrenagens da cabeça dele atrás das palavras simples, cuidadosas, corriqueiras e certas, tão cuidadosas que ele largou a minha mão, para que a Razão consensual triunfasse em estado puro: *você não quer subir?* É claro que eu quis. A vida de luxo de Manon Lescaut. Aquele casamento imaginário avançando aos elevadores numa falsa galeria de espelhos. *Sair daqui, desta minha vida pequena*, mas isso ela não disse à Bernadete, pensando se era mesmo esse o problema. *Assim que terminar, venha para São Paulo*, disse-lhe Chaves, com um entusiasmo estrategicamente comedido. Na outra semana começa o I Festival de Cinema Literário, e vai abrir com uma cópia restaurada de *O estrangeiro*, do Visconti, baseado na obra do Camus, com o Mastroianni fazendo o Mersault — eu sempre quis ver esse filme, Beatriz, mas não se acha em lugar nenhum. *Sei que você já tem onde ficar* — ele disse por uma precaução bem-educada, já sentindo que não, que ela e Donetti já se afastavam irremediavelmente, que ela não teria mais onde ficar, que faltou pouquíssimo para ela largar Donetti na calçada da Figueira —, *mas, por favor, meu apartamento está à disposição.*

Beatriz colocou o peito de frango congelado no micro-ondas: falta pouco para terminar o Xaveste, e em seguida vou reservar um hotel na Paulista, daqueles de rede, você sabe exatamente o que vai encontrar — um espaço *clean* com uma janela para aquele tsunami de prédios sob nuvens cinza, o ruído surdo da cidade chegando até ela como o *om* budista — e o plano simples como que *renovava a minha vida*, ela diria à sua amiga, sentindo pulsar o coração. Não se entregue, Beatriz disse a si mesma, pressentindo a onda breve de depressão que insistia em voltar. Eu preciso de um talismã do silêncio. Eu preciso só de uma primeira frase, como tudo na vida: o menino caminhando na praia encontra uma pedrinha. *Cuidado com o kitsch*, confessou-lhe uma vez Donetti, quando ela queimava de paixão pelo grande escritor: *eis o que eu digo a mim mesmo todas as manhãs*, e ele soou épico como um titã da Vida Autêntica, e Beatriz sorriu, *ridículo*, ouvindo o apito do micro-ondas.

A morte da empatia não é apenas a expressão tecnológica de um mundo que faz de cada cidadão, a cada minuto, um terminal de informações intocadas [inalteradas??] *por mãos humanas; ela é também o pressuposto da realização utópica, de qualquer natureza; o que o cinismo pós-moderno colocou em cena em meados dos anos 1980 — como as felizes figuras grotescas de Hox Hoaxin Kurtágs, ou os afogados tranquilos de Lonnie D. Wh Welshy — antecipou o sonho do avesso das não escolhas assumidas como destino final.* Acrescentar uma vírgula: *das não escolhas, assumidas como.* Beatriz suspirou, feliz — falta só meia página — *como se política e estética enfim se encontrassem na conciliação* [concertación??] *universal do silêncio*, e Beatriz olhou para o teto, pensando em Chaves. O final é meio criptográfico, a volúpia do segredo, ele havia dito, há um inexpugnável traço barroco em todo pensador ibérico — a grande questão que eles sempre se põem é: como é possível *desenhar* o pensamento e a fé? Toda abstração tem de ser visível, conforme rezava o Concílio de

Trento, mas elevadores e metrôs são abstratos, você vai de *a* a *b* sem ver o percurso como a máquina do tempo, e Beatriz brincou, confessando ignorância e repetindo a piada, *não faz mal, Chaves, tradutor não pensa, tradutor traduz*, e eles riram no skype, a imagem dele congelando-se numa sequência irregular de fotogramas, *ainda bem que ele não me vê, estou horrível esta manhã*, e Beatriz rompeu o devaneio pelo toque da campainha, o frio inesperado, *a gota de nitrogênio, parece que é assim que você me vê*, uma vez disse-lhe Donetti, *transformo em gelo tudo que toco, basta você me ver e você fica lívida*, e ela respondeu, *isso não tem graça, meu amor*, nos tempos em que ela o amava. Não fale assim, Beatriz, disse-lhe Bernadete, tocando-lhe a mão com um afeto simples que era também uma repreensão. Você é só uma pessoa afetiva que está ferida. Essa autoindulgência não combina com você. Mas não era o Donetti, é claro.

— Oi, professora.

— Gabriel.

Lembrou da aula remarcada, a mãe horrível no elevador, e tentou disfarçar o desânimo — ou a impaciência. Falta pouco para a liberdade. Bem, antes o celeste anjo Gabriel que os chifres sombrios de Donetti, e ela forçou um sorriso: mais um pouco, e estarei livre.

— Quase esquecia da nossa aula. Entre.

Um bom menino, tímido, inteligente, aplicado — nem precisaria de aulas extras, mas todas as mães são loucas. Ainda bem que eu — e ele sentou-se diante de Beatriz com o caderno fechado, que ela pegou antes mesmo de sentar, *deixe eu ver em que ponto paramos*, sentindo a firme (e inexplicável) resistência dos dedos dele em entregar, como algo proibido, alguém que não fez a lição e está prestes a ser desmascarado, este terror antigo, e o caderno acabou abrindo-se *explosivo* sobre a mesa (Bernadete riu), um breve cabo de guerra que se rompe entre professora e aluno, e as letras, recortadas de jornais e revistas, cada uma de um tamanho, fonte e cor, matéria-prima de sequestradores, terroristas e chantagistas,

t A b i R m T

esparramaram-se diante dela, um *F* e um *t* voando ao chão, que eu me abaixei para recolher ainda sem pensar, que diabo é isso, até ligar uma coisa com outra, e ao assomar minha cabeça ao nível da mesa percebi o rosto queimando, vermelhíssimo, de Gabriel, que sem erguer os olhos para mim devolvia trêmulo os pedaços de crime ao caderno, onde também coloquei o *F* e o *t* extraviados, simulando indiferença. Caderno fechado, virei-o para mim, reabrindo na página do último exercício, estrutura da sentença, e reli com a voz séria e dura como uma professora antiga, *organize os grupos de informações avulsas em uma única sentença complexa, empregando elementos de coesão e subordinação*, e ele havia feito tudo corretamente. *Vamos para o próximo item*, determinei, pensando na minha viagem próxima a São Paulo, e ele fez um *sim* acabrunhado e obediente com a cabeça. Mais tarde passo no hotel e pego os óculos.

Agradecimentos

Gostaria de agradecer aos suspeitos de sempre, meus primeiros leitores, a começar por Caetano Galindo, com sua indispensável lista de observações, e à minha filha, Ana Tezza, que me salvou de algumas arapucas sutis. Ao mestre Carlos Alberto Faraco, agradeço as anotações certeiras. A Christian Schwartz devo, além de inestimáveis aulas sobre futebol, também a tradução da epígrafe. Igualmente importantes foram as leituras e comentários de Liliana Negrello, Cláudia Lamego e minha editora Duda Costa. Nem será preciso acrescentar que a inteira responsabilidade por esta obra de ficção é exclusiva do seu autor.

C.T.

Este livro foi composto na tipografia Slimbach,
em corpo 10/15, e impresso em papel off-white
no Sistema Cameron da Divisão Gráfica
da Distribuidora Record.